하루 한 장 75일
지!죽 완성

KB087431

**교과
연산**

E 3

초5 분수와 소수의 곱셈

변화를 정확히 이해해야 합니다.

수학의 기본이면서 이제는 필수가 된 연산 학습, 그런데 왜 우리 아이들은 많은 학습지를 풀고도 학교에 가면 연산 문제를 해결하지 못할까요?

지금 우리 아이들이 학습하는 교과서는 과거와는 많이 다릅니다. 단순 계산력을 확인하는 문제 대신 다양한 상황을 제시하고 상황에 맞게 문제를 해결하는 과정을 평가합니다. 그래서 단순히 계산하여 답을 내는 것보다 문장을 이해하고 상황을 판단하여 스스로 식을 세우고 문제를 해결하는 복합적인 사고 과정이 필요합니다.

그림을 보고 상황을 판단하는 능력, 그림을 보고 상황을 말로 표현하는 능력, 문장을 이해하는 능력 등 상황 판단 능력을 길러야 하는 이유입니다.

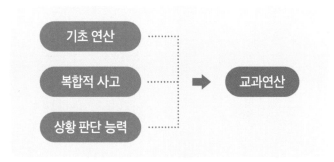

연산 원리를 학습함에 있어서도 대표적인 하나의 풀이 방법을 공식처럼 외우기만 해서는 지금의 연산 문제를 해결하기 어렵습니다. 연산 학습과 함께 다양한 방법으로 수를 분해하고 결합하는 과정, 즉 수 자체에 대한 학습도 병행되어야 합니다.

교과연산은 연산 학습과 함께 수 자체를 온전히 학습할 수 있도록 단계마다 '수특강'을 구성하고 있습니다.

계산은 문제를 해결하는 하나의 과정으로서의 의미가 큽니다.

학교에서 배우게 될 내용과 직접적으로 관련이 있는 교과연산으로 가장 먼저 시작하기를 추천드립니다.

요즘 연산은 교과 연산입니다.

"계산은 그 자체가 목적이 아닙니다. 문제를 해결하는 하나의 과정입니다."

하루 **한** 장, **75**일에 완성하는 **교과연산**

한 단계는 총 4권으로 수를 학습하는 0권과 연산을 학습하는 1권, 2권, 3권으로 구성되어 있습니다.

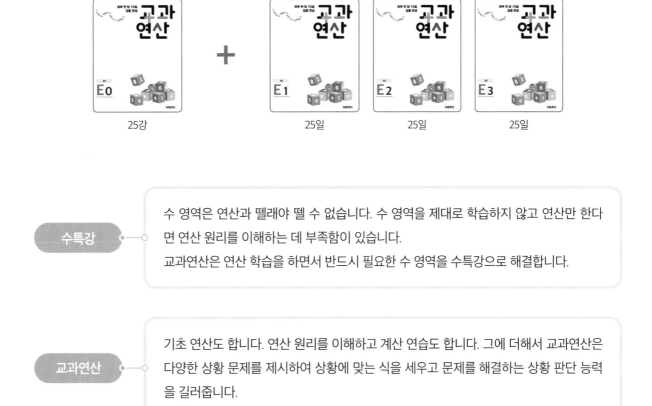

수 영역은 연산과 뗄래야 뗄 수 없습니다. 수 영역을 제대로 학습하지 않고 연산만 한다면 연산 원리를 이해하는 데 부족함이 있습니다.
교과연산은 연산 학습을 하면서 반드시 필요한 수 영역을 수특강으로 해결합니다.

기초 연산도 합니다. 연산 원리를 이해하고 계산 연습도 합니다. 그에 더해서 교과연산은 다양한 상황 문제를 제시하여 상황에 맞는 식을 세우고 문제를 해결하는 상황 판단 능력을 길러줍니다.

"연산을 이해하기 위해서는 수를 먼저 이해해야 합니다."

원리는 기본, 복합적 사고 문제까지 다루는 교과연산

원리

수와 연산의 원리를
이해하고 연습합니다.

복합적 사고

연산 원리를 이용하여
다양한 소재의 복합적
문제를 해결합니다.

상황 판단 문제

문장 이해력을 기르고
상황에 맞는 식을 세워
문제를 해결합니다.

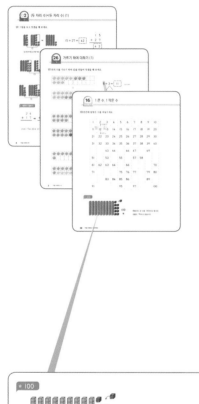

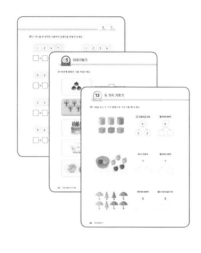

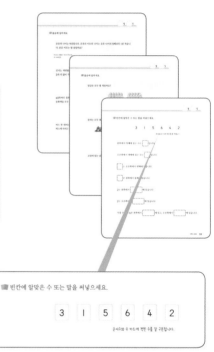

[체크 박스]
문제를 해결하는 데 도움이
되는 방향을 제시합니다.

■ 빈칸에 알맞은 수 또는 말을 써넣으세요.

| 3 | 1 | 5 | 6 | 4 | 2 |

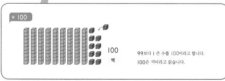

[개념 포인트]
꼭 필요한 기본 개념을
설명합니다.

"교과연산은 꼬이고 꼬인 어려운 연산이 아닙니다.
일상 생활 속에서 상황을 판단하는 능력을 길러주는 연산입니다."

하루 **한** 장, 75일 집중 완성 교과연산 **묻고 답하기**

Q1 왜 교과연산인가요?

지금의 교과서는 과거의 교과서와는 많이 다릅니다. 하지만 아쉽게도 기존의 연산학습지는 과거의 연산 학습 방법을 그대로 답습하고 변화를 제대로 반영하지 못하고 있습니다. 교과연산은 교과서의 변화를 정확히 이해하고 체계적으로 학습을 할 수 있도록 안내합니다.

Q2 다른 연산 교재와 어떻게 다른가요?

교과연산은 변화된 교과서의 핵심 내용인 상황 판단 능력과 복합적 사고력을 길러주는 최신 연산 프로그램입니다. 또한 연산 학습의 바탕이 되는 '수'를 수특강으로 다루고 있어 수학의 기본이 되는 연산학습을 체계적으로 학습할 수 있습니다.

Q3 학교 진도와는 맞나요?

네, 교과연산은 학교 수업 진도와 최신 개정된 교과 단원에 맞추어 개발하였습니다.

Q4 단계 선택은 어떻게 해야 할까요?

권장 연령의 학습을 추천합니다.
다만, 처음 교과 연산을 시작하는 학생이라면 한 단계 낮추어 시작하는 것도 좋습니다.

Q5 '수특강'을 먼저 해야 하나요?

'수특강'을 가장 먼저 학습하는 것을 권장합니다. P단계를 예로 들어보면 P0(수특강)을 먼저 학습한 후 차례대로 P1~P3 학습을 진행합니다. '수특강'은 각 단계의 연산 원리와 개념을 정확하게 이해하고 상황 문제를 해결하는 데 디딤돌이 되어줄 것입니다.

이 책의 차례

1주차 (분수)×(자연수)

🗂️ 약분을 하지 않는 분수의 곱셈을 해 보세요.

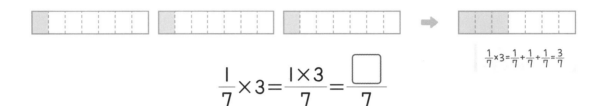

$$\frac{1}{7} \times 3 = \frac{1 \times 3}{7} = \frac{\boxed{}}{7}$$

$\frac{1}{7} \times 3 = \frac{1}{7} + \frac{1}{7} + \frac{1}{7} = \frac{3}{7}$

$$\frac{2}{3} \times 4 = \frac{2 \times \boxed{}}{3} = \frac{\boxed{}}{3} = \boxed{} \frac{\boxed{}}{3}$$

$$\frac{8}{9} \times 2 = \frac{\boxed{} \times 2}{\boxed{}} = \frac{\boxed{}}{\boxed{}} = \boxed{} \frac{\boxed{}}{\boxed{}}$$

★ (진분수)×(자연수)

$\frac{2}{5} \times 3$은 $\frac{2}{5}$를 3번 더하는 것과 같고, 분모가 같은 분수의 덧셈에서는 분모는 그대로 두고 분자만 더하므로

$\frac{2}{5} \times 3 = \frac{2}{5} + \frac{2}{5} + \frac{2}{5} = \frac{2+2+2}{5} = \frac{2 \times 3}{5} = \frac{6}{5} = 1\frac{1}{5}$ 입니다.

따라서 진분수와 자연수의 곱셈에서는 분모는 그대로 두고 분자와 자연수만 곱합니다.

■ 여러 가지 방법으로 약분을 하는 분수의 곱셈을 해 보세요.

$\dfrac{4}{9} \times 3$

① $\dfrac{4}{9} \times 3 = \dfrac{4 \times 3}{9} = \dfrac{\cancel{12}^4}{\cancel{9}_3} = \dfrac{\square}{\square} = \square \dfrac{\square}{\square}$

② $\dfrac{4}{\underset{\square}{\cancel{9}}} \times \overset{\square}{\cancel{3}} = \dfrac{\square}{\square} = \square \dfrac{\square}{\square}$

$\dfrac{5}{6} \times 8$

① $\dfrac{5}{6} \times 8 = \dfrac{\square \times 8}{\square} = \dfrac{\overset{\square}{\cancel{40}}}{\underset{\square}{\cancel{6}}} = \dfrac{\square}{\square} = \square \dfrac{\square}{\square}$

② $\dfrac{5}{\underset{\square}{\cancel{6}}} \times \overset{\square}{\cancel{8}} = \dfrac{5 \times \square}{3} = \dfrac{\square}{\square} = \square \dfrac{\square}{\square}$

약분이 가능한 분수의 곱셈을 할 때는

①과 같이 곱셈을 한 다음 약분을 하거나 ②와 같이 약분을 먼저 하고 곱셈을 할 수 있습니다.

① $\dfrac{5}{6} \times 4 = \dfrac{5 \times 4}{6} = \dfrac{\overset{10}{\cancel{20}}}{\underset{3}{\cancel{6}}} = \dfrac{10}{3} = 3\dfrac{1}{3}$

② $\dfrac{5}{\underset{3}{\cancel{6}}} \times \overset{2}{\cancel{4}} = \dfrac{5 \times 2}{3} = \dfrac{10}{3} = 3\dfrac{1}{3}$

📘 대분수를 가분수로 나타내어 분수의 곱셈을 해 보세요.

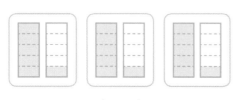

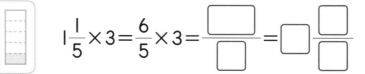

$$1\frac{1}{5} \times 3 = \frac{6}{5} \times 3 = \frac{\boxed{}}{\boxed{}} = \boxed{}\frac{\boxed{}}{\boxed{}}$$

$$1\frac{1}{5} \times 3 = \frac{6}{5} + \frac{6}{5} + \frac{6}{5} = \frac{18}{5} = 3\frac{3}{5}$$

$$2\frac{3}{4} \times 2 = \frac{11}{\cancel{4}} \times \cancel{2} = \frac{\boxed{}}{\boxed{}} = \boxed{}\frac{\boxed{}}{\boxed{}}$$

$$1\frac{2}{3} \times 4 = \frac{\boxed{}}{\boxed{}} \times 4 = \frac{\boxed{}}{\boxed{}} = \boxed{}\frac{\boxed{}}{\boxed{}}$$

⭐ **(대분수)×(자연수)**

대분수와 자연수의 곱셈은

① 대분수를 가분수로 나타내거나 ② 대분수를 자연수와 진분수의 합으로 바꾸어 계산할 수 있습니다.

①
   ➡

$1\frac{3}{4}$은 $\frac{7}{4}$이므로 $1\frac{3}{4} \times 3 = \frac{7}{4} \times 3 = \frac{7 \times 3}{4} = \frac{21}{4} = 5\frac{1}{4}$입니다.

📘 대분수를 자연수와 진분수의 합으로 바꾸어 분수의 곱셈을 해 보세요.

$1\frac{1}{4}\times 3$

$=(1+1+1)+(\frac{1}{4}+\frac{1}{4}+\frac{1}{4})$

$=3+\frac{3}{4}=3\frac{3}{4}$

$$1\frac{1}{4}\times 3=(1\times 3)+(\frac{1}{4}\times 3)=\boxed{}+\frac{\boxed{}}{\boxed{}}=\boxed{}\frac{\boxed{}}{\boxed{}}$$

$$1\frac{5}{6}\times 4=(\boxed{}\times 4)+(\frac{5}{6}\times 4)=\boxed{}+\frac{\boxed{}}{\boxed{}}=\boxed{}\frac{\boxed{}}{\boxed{}}$$

$$3\frac{4}{5}\times 2=(3\times \boxed{})+(\frac{\boxed{}}{\boxed{}}\times 2)=\boxed{}+\frac{\boxed{}}{\boxed{}}=\boxed{}\frac{\boxed{}}{\boxed{}}$$

②

$1\frac{3}{4}$은 $1+\frac{3}{4}$이므로 $1\frac{3}{4}\times 3$은 1을 3번, $\frac{3}{4}$을 3번 더하는 것과 같습니다.

$1\frac{3}{4}\times 3=(1+1+1)+(\frac{3}{4}+\frac{3}{4}+\frac{3}{4})=(1\times 3)+(\frac{3}{4}\times 3)=3+\frac{9}{4}=5\frac{1}{4}$

분수와 자연수의 곱

📖 계산해 보세요. (가분수는 대분수로 나타내고, 약분할 수 있으면 기약분수로 나타냅니다.)

$\dfrac{1}{3} \times 7$

$\dfrac{4}{7} \times 5$

$\dfrac{5}{12} \times 6$

$\dfrac{3}{10} \times 4$

$\dfrac{4}{5} \times 15$

$\dfrac{3}{4} \times 14$

$1\dfrac{1}{4} \times 3$

$2\dfrac{2}{9} \times 4$

$3\dfrac{1}{3} \times 2$

$1\dfrac{3}{8} \times 5$

$4\dfrac{1}{6} \times 3$

$2\dfrac{4}{9} \times 6$

$1\dfrac{5}{8} \times 10$

$5\dfrac{2}{3} \times 9$

잘못된 계산식입니다. 식을 바르게 고쳐 계산해 보세요. (계산 결과가 가분수이면 대분수로 나타내고, 약분할 수 있으면 기약분수로 나타냅니다.)

$\dfrac{3}{5} \times 4 = \dfrac{3 \times 4}{5 \times 4} = \dfrac{\overset{3}{\cancel{12}}}{\underset{5}{\cancel{20}}} = \dfrac{3}{5}$ ➡ $\dfrac{3}{5} \times 4$

$\dfrac{4}{9} \times 8 = \dfrac{4}{9 \times 8} = \dfrac{\overset{1}{\cancel{4}}}{\underset{18}{\cancel{72}}} = \dfrac{1}{18}$ ➡ $\dfrac{4}{9} \times 8$

$2\dfrac{1}{7} \times 5 = (2 \times 5) + \left(\dfrac{1}{7} \times 5\right)$

$= 10 + \dfrac{1}{35} = 10\dfrac{1}{35}$ ➡ $2\dfrac{1}{7} \times 5$

$1\dfrac{3}{\underset{4}{\cancel{8}}} \times \overset{3}{\cancel{6}} = \dfrac{7}{4} \times 3 = \dfrac{21}{4} = 5\dfrac{1}{4}$ ➡ $1\dfrac{3}{8} \times 6$

🗂 계산 결과가 다른 식 하나에 ✕표 하세요.

$\dfrac{5}{6} \times 4$ $\dfrac{5}{3} \times 2$

$\dfrac{4}{6} \times 5$ $\dfrac{5}{4} \times 6$

$\dfrac{1}{2} \times 3$ $\dfrac{3}{7} \times 14$

$\dfrac{3}{14} \times 7$ $\dfrac{7}{14} \times 3$

$\dfrac{1}{10} \times 4$ $\dfrac{1}{9} \times 3$

$\dfrac{1}{6} \times 2$ $\dfrac{1}{18} \times 6$

$\dfrac{4}{6} \times 4$ $1\dfrac{1}{3} \times 2$

$\dfrac{2}{3} \times 8$ $\dfrac{4}{3} \times 2$

$\dfrac{17}{4} \times 5$ $2\dfrac{1}{4} \times 5$

$2\dfrac{1}{8} \times 10$ $1\dfrac{1}{4} \times 17$

$2\dfrac{4}{10} \times 3$ $\dfrac{23}{5} \times 2$

$\dfrac{4}{10} \times 23$ $2\dfrac{3}{10} \times 4$

■ 계산 결과가 자연수인 것을 찾아 ○표 하세요.

$\dfrac{5}{6} \times 3$　　　　$\dfrac{1}{6} \times 8$　　　　$\dfrac{5}{3} \times 6$　　　　$\dfrac{2}{3} \times 4$

$\dfrac{7}{8} \times 6$　　　　$\dfrac{3}{4} \times 12$　　　　$\dfrac{3}{8} \times 4$　　　　$\dfrac{7}{12} \times 3$

$\dfrac{3}{10} \times 5$　　　　$\dfrac{3}{10} \times 15$　　　　$\dfrac{2}{15} \times 3$　　　　$\dfrac{5}{15} \times 3$

$1\dfrac{2}{5} \times 10$　　　　$\dfrac{15}{10} \times 5$　　　　$1\dfrac{7}{10} \times 5$　　　　$\dfrac{7}{5} \times 3$

$\dfrac{3}{12} \times 9$　　　　$\dfrac{2}{8} \times 2$　　　　$\dfrac{6}{9} \times 3$　　　　$\dfrac{4}{18} \times 6$

55일 이야기하기

📖 물음에 답하세요. (가분수는 대분수로 나타내고, 약분할 수 있으면 기약분수로 나타냅니다.)

한 변이 $5\frac{1}{4}$ cm인 정사각형의 둘레는 얼마일까요?

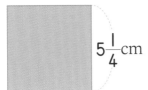

식 _____

답 _____ cm

한 변이 $1\frac{2}{5}$ cm인 정삼각형의 둘레는 얼마일까요?

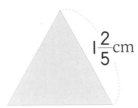

식 _____

답 _____ cm

가로가 $2\frac{3}{8}$ m, 세로가 6m인 직사각형 모양의 화단의 넓이는 얼마일까요?

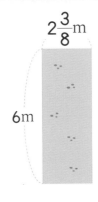

식 _____

답 _____ m^2

■ 물음에 답하세요. (가분수는 대분수로 나타내고, 약분할 수 있으면 기약분수로 나타냅니다.)

주스가 $\dfrac{7}{10}$ L씩 들어 있는 병이 3병 있습니다. 주스는 모두 몇 L 있을까요?

식 _____ 답 _____ L

한 사람이 케이크 한 개의 $\dfrac{1}{6}$ 씩 먹으려고 합니다. 은재네 반 학생 30명이 먹으려면 케이크는 모두 몇 개 필요할까요?

식 _____ 답 _____ 개

귤 한 상자의 무게가 $9\dfrac{5}{8}$ kg입니다. 귤 6상자의 무게는 몇 kg일까요?

식 _____ 답 _____ kg

기차가 1분에 $4\dfrac{3}{5}$ km를 달립니다. 같은 빠르기로 15분 동안 달린 거리는 몇 km일까요?

식 _____ 답 _____ km

물음에 답하세요. (가분수는 대분수로 나타내고, 약분할 수 있으면 기약분수로 나타냅니다.)

성아는 매일 물을 $1\frac{1}{3}$ L씩 마십니다. 성아가 일주일 동안 마시는 물은 몇 L일까요?

식 _____   답 _____ L

달팽이는 1mm를 움직이는 데 약 $\frac{1}{2}$ 초 걸립니다. 같은 빠르기로 달팽이가 1cm를 움직이려면 약 몇 초 걸릴까요?

1cm는 10mm입니다.

식 _____   답 _____ 초

은형이는 10분에 $\frac{7}{9}$ km를 걷습니다. 같은 빠르기로 1시간 동안 걸은 거리는 몇 km 일까요?

식 _____   답 _____ km

성우네 가족은 쌀을 매달 $14\frac{3}{4}$ kg 소비합니다. 성우네 가족이 1년 동안 소비하는 쌀은 몇 kg일까요?

식 _____   답 _____ kg

2주차 (자연수)×(분수)

(자연수)×(진분수)

📙 약분을 하지 않는 분수의 곱셈을 해 보세요.

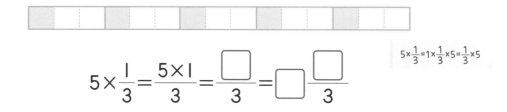

$$5 \times \frac{1}{3} = \frac{5 \times 1}{3} = \frac{\boxed{}}{3} = \boxed{} \frac{\boxed{}}{3}$$

$5 \times \frac{1}{3} = 1 \times \frac{1}{3} \times 5 = \frac{1}{3} \times 5$

$$7 \times \frac{3}{4} = \frac{7 \times \boxed{}}{4} = \frac{\boxed{}}{4} = \boxed{} \frac{\boxed{}}{4}$$

$$6 \times \frac{2}{5} = \frac{\boxed{} \times 2}{\boxed{}} = \frac{\boxed{}}{\boxed{}} = \boxed{} \frac{\boxed{}}{\boxed{}}$$

⭐ **(자연수)×(진분수)**

6의 $\frac{1}{3} = 6$의 $\frac{1}{3}$배 $= 6 \times \frac{1}{3}$

$6 \times \frac{1}{3} = 1 \times \frac{1}{3} \times 6 = \frac{1}{3} \times 6$

6을 3등분한 것 중의 1은 $6 \times \frac{1}{3}$로 나타낼 수 있습니다. $6 \times \frac{1}{3}$은 각각의 1을 3등분한 것 중의 하나씩과 같으므로 $\frac{1}{3} \times 6$으로 나타낼 수 있습니다.

📗 여러 가지 방법으로 약분을 하는 분수의 곱셈을 해 보세요.

$4 \times \dfrac{3}{8}$

① $4 \times \dfrac{3}{8} = \dfrac{4 \times 3}{8} = \dfrac{\cancel{12}^{\;3}}{\cancel{8}_{\,2}} = \dfrac{\square}{\square} = \square\dfrac{\square}{\square}$

② $\overset{\square}{\cancel{4}} \times \dfrac{3}{8}\underset{\square}{} = \dfrac{\square}{\square} = \square\dfrac{\square}{\square}$

$6 \times \dfrac{4}{9}$

① $6 \times \dfrac{4}{9} = \dfrac{6 \times \square}{\square} = \dfrac{24}{\cancel{9}} = \dfrac{\square}{\square} = \square\dfrac{\square}{\square}$

② $\overset{\square}{\cancel{6}} \times \dfrac{4}{9}\underset{\square}{} = \dfrac{2 \times \square}{\square} = \dfrac{\square}{\square} = \square\dfrac{\square}{\square}$

곱셈은 곱하는 두 수를 바꾸어 곱해도 결과가 같으므로 (자연수)×(진분수)도 분모는 그대로 두고 분자와 자연수만 곱합니다. 약분이 가능한 분수의 곱셈에서도

①과 같이 곱셈을 한 다음 약분을 하거나 ②와 같이 약분을 먼저 하고 곱셈을 할 수 있습니다.

① $6 \times \dfrac{3}{4} = \dfrac{6 \times 3}{4} = \dfrac{\cancel{18}^{\;9}}{\cancel{4}_{\,2}} = \dfrac{9}{2} = 4\dfrac{1}{2}$

② $\overset{3}{\cancel{6}} \times \dfrac{3}{\underset{2}{\cancel{4}}} = \dfrac{3 \times 3}{2} = \dfrac{9}{2} = 4\dfrac{1}{2}$

57 (자연수)×(대분수)

🚩 대분수를 가분수로 나타내어 분수의 곱셈을 해 보세요.

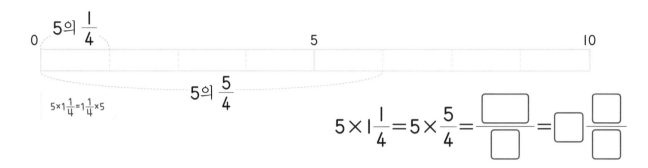

$$5 \times 1\frac{1}{4} = 5 \times \frac{5}{4} = \frac{\boxed{}}{\boxed{}} = \boxed{}\frac{\boxed{}}{\boxed{}}$$

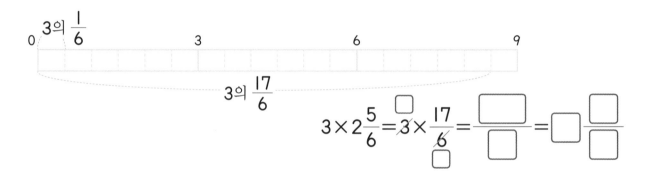

$$3 \times 2\frac{5}{6} = 3 \times \frac{17}{6} = \frac{\boxed{}}{\boxed{}} = \boxed{}\frac{\boxed{}}{\boxed{}}$$

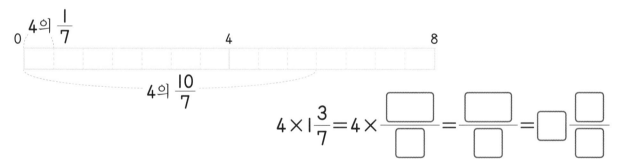

$$4 \times 1\frac{3}{7} = 4 \times \frac{\boxed{}}{\boxed{}} = \frac{\boxed{}}{\boxed{}} = \boxed{}\frac{\boxed{}}{\boxed{}}$$

⭐ **(자연수)×(대분수)**

① 대분수를 가분수로 나타내어 계산할 수 있습니다.

$$1\frac{1}{5} \text{은 } \frac{6}{5} \text{이므로 } 3 \times 1\frac{1}{5} = 3 \times \frac{6}{5} = \frac{3 \times 6}{5} = \frac{18}{5} = 3\frac{3}{5} \text{입니다.}$$

대분수를 자연수와 진분수의 합으로 바꾸어 분수의 곱셈을 해 보세요.

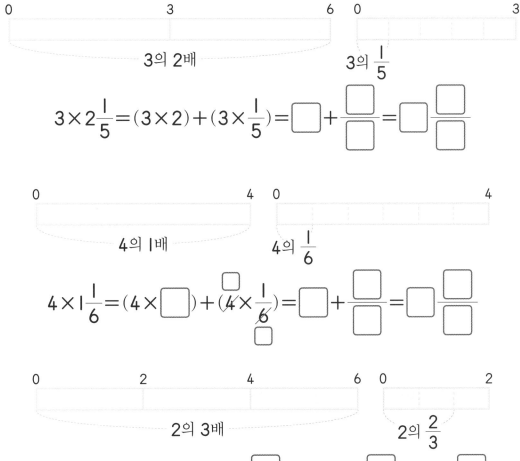

② 대분수를 자연수와 진분수의 합으로 바꾸어 계산할 수 있습니다.

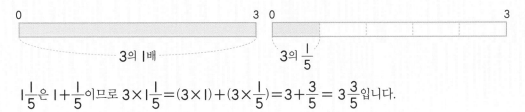

$1\frac{1}{5}$은 $1+\frac{1}{5}$이므로 $3\times1\frac{1}{5}=(3\times1)+(3\times\frac{1}{5})=3+\frac{3}{5}=3\frac{3}{5}$입니다.

계산해 보세요. (가분수는 대분수로 나타내고, 약분할 수 있으면 기약분수로 나타냅니다.)

$6 \times \dfrac{1}{5}$

$5 \times \dfrac{2}{7}$

$7 \times \dfrac{3}{14}$

$8 \times \dfrac{1}{4}$

$6 \times \dfrac{7}{9}$

$10 \times \dfrac{5}{12}$

$5 \times 1\dfrac{1}{3}$

$4 \times 3\dfrac{2}{5}$

$2 \times 1\dfrac{6}{7}$

$9 \times 2\dfrac{1}{4}$

$3 \times 2\dfrac{2}{3}$

$4 \times 1\dfrac{5}{6}$

$5 \times 3\dfrac{3}{10}$

$12 \times 1\dfrac{7}{8}$

📖 계산 결과가 같은 것끼리 이어 보세요.

$6 \times \dfrac{1}{2}$ ·　　　· $\dfrac{2}{3} \times 2$　　　$2 \times \dfrac{5}{8}$ ·　　　· $3 \times \dfrac{5}{4}$

$2 \times \dfrac{1}{6}$ ·　　　· $\dfrac{1}{2} \times 6$　　　$6 \times \dfrac{5}{8}$ ·　　　· $1 \times \dfrac{5}{4}$

$2 \times \dfrac{2}{3}$ ·　　　· $\dfrac{1}{6} \times 2$　　　$12 \times \dfrac{5}{8}$ ·　　　· $3 \times \dfrac{5}{2}$

$4 \times 1\dfrac{3}{7}$ ·　　　· $\dfrac{13}{7} \times 4$　　　$3 \times \dfrac{7}{10}$ ·　　　· $\dfrac{4}{5} \times 3$

$4 \times 2\dfrac{1}{7}$ ·　　　· $\dfrac{15}{7} \times 4$　　　$8 \times \dfrac{3}{10}$ ·　　　· $\dfrac{3}{2} \times 7$

$4 \times 1\dfrac{6}{7}$ ·　　　· $\dfrac{10}{7} \times 4$　　　$15 \times \dfrac{7}{10}$ ·　　　· $\dfrac{3}{10} \times 7$

🗂 계산 결과를 비교하여 ○ 안에 >, =, <를 알맞게 써넣으세요.

$6 \bigcirc 6 \times \dfrac{5}{9}$

어떤 수에서 1보다 작은 수를 곱하면
결과는 어떤 수보다 작습니다.

$3 \bigcirc 3 \times 1\dfrac{1}{2}$

어떤 수에서 1보다 큰 수를 곱하면
결과는 어떤 수보다 큽니다.

$9 \times \dfrac{7}{9} \bigcirc 9$

$4 \times \dfrac{9}{8} \bigcirc 4$

$\dfrac{3}{7} \bigcirc 1 \times \dfrac{3}{7}$

$2\dfrac{5}{6} \bigcirc 3 \times 2\dfrac{5}{6}$

$3 \times \dfrac{4}{5} \bigcirc 3 \times 1\dfrac{1}{5}$

$10 \times 1\dfrac{3}{4} \bigcirc 10 \times \dfrac{3}{4}$

$6 \times \dfrac{7}{8} \bigcirc 6 \times \dfrac{5}{8}$

$8 \times 1\dfrac{1}{7} \bigcirc 8 \times \dfrac{3}{7}$

$4 \times \dfrac{3}{5} \bigcirc 4 \times \dfrac{7}{10}$

$5 \times 2\dfrac{1}{5} \bigcirc 5 \times 2\dfrac{1}{10}$

📖 조건에 맞는 식에 모두 ○표 하세요.

계산 결과가
2보다 큰 식

$2 \times 1\frac{1}{3}$ $2 \times \frac{7}{9}$ $2 \times 2\frac{1}{8}$ 2×1

계산 결과가
3보다 작은 식

$3 \times \frac{2}{3}$ $3 \times 4\frac{1}{12}$ $3 \times 1\frac{1}{4}$ $3 \times \frac{14}{15}$

계산 결과가
5보다 큰 식

$5 \times \frac{7}{10}$ $5 \times \frac{8}{5}$ $5 \times \frac{4}{3}$ $5 \times \frac{5}{6}$

계산 결과가
4보다 작은 식

1×4 $\frac{8}{7} \times 4$ $\frac{1}{2} \times 4$ $\frac{6}{7} \times 4$

계산 결과가
6보다 큰 식

$\frac{11}{12} \times 6$ $\frac{5}{4} \times 6$ $\frac{7}{8} \times 6$ $2\frac{2}{9} \times 6$

🔹 물음에 답하세요. (가분수는 대분수로 나타내고, 약분할 수 있으면 기약분수로 나타냅니다.)

길이가 5m인 철사의 $\frac{1}{8}$을 잘라 사용했습니다. 사용한 철사는 몇 m일까요?

식 _____ 답 _____ m

공책 27권 중에서 $\frac{4}{9}$를 나누어 주었다면 나누어 준 공책은 몇 권일까요?

식 _____ 답 _____ 권

가로가 6m, 세로가 $3\frac{5}{9}$m인 직사각형 모양의 화단이 있습니다. 화단의 넓이는 몇 m²일까요?

식 _____ 답 _____ m²

박물관의 어른 입장료는 800원이고, 어린이 입장료는 어른 입장료의 $\frac{3}{4}$입니다. 어린이 입장료는 얼마일까요?

식 _____ 답 _____ 원

📖 물음에 답하세요. (가분수는 대분수로 나타내고, 약분할 수 있으면 기약분수로 나타냅니다.)

집에서 할머니 댁까지 가는 거리는 12km입니다. 전체 거리의 $\frac{1}{4}$은 걸어가고, 나머지 거리는 버스를 탔습니다. 버스를 타고 간 거리는 몇 km일까요?

전체의 $\frac{1}{4}$을 걸었으므로 나머지는 전체의 $\frac{3}{4}$입니다.   (   )

초코 우유와 딸기 우유가 모두 30개 있습니다. 그중 $\frac{2}{5}$가 초코 우유라면 딸기 우유는 몇 개일까요?

(   )

마루는 색종이 50장 중 $\frac{3}{10}$을 사용했습니다. 마루가 사용하고 남은 색종이는 몇 장일까요?

(   )

지나는 하루 24시간 중 $\frac{1}{12}$은 독서를 합니다. 독서를 하고 남은 시간은 몇 시간일까요?

(   )

빈칸에 알맞은 수를 써넣으세요.

1시간은 60분입니다. 1시간의 $\frac{1}{2}$은 ☐분입니다. (60분의 $\frac{1}{2}$)=60×$\frac{1}{2}$=30(분)

1시간의 $\frac{1}{3}$은 ☐분입니다.   1시간의 $\frac{2}{3}$는 ☐분입니다.

1시간의 $\frac{1}{6}$은 ☐분입니다.   1시간의 $\frac{5}{6}$는 ☐분입니다.

1m의 $\frac{1}{2}$은 ☐cm입니다.   1m의 $\frac{1}{4}$은 ☐cm입니다.

1m의 $\frac{3}{5}$은 ☐cm입니다.   1m의 $\frac{11}{25}$은 ☐cm입니다.

1L의 $\frac{1}{2}$은 ☐mL입니다.   1L의 $\frac{1}{5}$은 ☐mL입니다.

1L의 $\frac{3}{4}$은 ☐mL입니다.   1L의 $\frac{3}{10}$은 ☐mL입니다.

3주차 분수의 곱셈

■ 빈칸에 알맞은 수를 써넣어 진분수의 곱셈을 해 보세요.

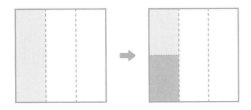

$$\frac{1}{3} \times \frac{1}{2} = \frac{1 \times 1}{3 \times \boxed{}} = \frac{1}{\boxed{}}$$

$$\frac{1}{2} \times \frac{1}{3} = \frac{1 \times 1}{2 \times \boxed{}} = \frac{1}{\boxed{}}$$

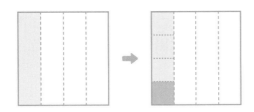

$$\frac{1}{4} \times \frac{1}{4} = \frac{1 \times \boxed{}}{4 \times \boxed{}} = \frac{\boxed{}}{\boxed{}}$$

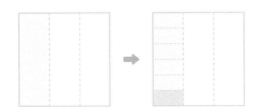

$$\frac{1}{3} \times \frac{1}{6} = \frac{1 \times \boxed{}}{3 \times \boxed{}} = \frac{\boxed{}}{\boxed{}}$$

★ **(진분수)×(진분수)**

$\frac{1}{5} \times \frac{1}{3}$은 전체를 5등분하고, 다시 각 조각을 3등분한 것입니다.

$\frac{1}{5}$ ➡ $\frac{1}{5}$의 $\frac{1}{3}$ 따라서 $\frac{1}{5} \times \frac{1}{3} = \frac{1 \times 1}{5 \times 3} = \frac{1}{15}$입니다.

전체를 5등분한 각 조각을 다시 3등분하면 전체는 15등분(5×3)이 됩니다.

📖 빈칸에 알맞은 수를 써넣어 진분수의 곱셈을 해 보세요.

$$\frac{2}{3} \times \frac{1}{5} = \frac{2 \times \boxed{}}{3 \times \boxed{}} = \frac{\boxed{}}{\boxed{}}$$

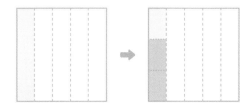

$$\frac{1}{5} \times \frac{2}{3} = \frac{1 \times \boxed{}}{5 \times \boxed{}} = \frac{\boxed{}}{\boxed{}}$$

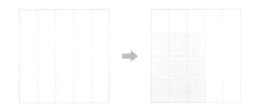

$$\frac{3}{5} \times \frac{3}{4} = \frac{\boxed{} \times \boxed{}}{\boxed{} \times \boxed{}} = \frac{\boxed{}}{\boxed{}}$$

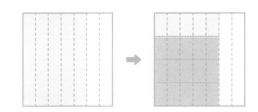

$$\frac{5}{7} \times \frac{3}{4} = \frac{\boxed{} \times \boxed{}}{\boxed{} \times \boxed{}} = \frac{\boxed{}}{\boxed{}}$$

$\frac{4}{5} \times \frac{2}{3}$ 는 전체의 $\frac{4}{5}$ 를 3등분한 것 중의 2입니다.

 $\frac{4}{5}$ ➡ $\frac{4}{5}$의 $\frac{2}{3}$ 따라서 $\frac{4}{5} \times \frac{2}{3} = \frac{4 \times 2}{5 \times 3} = \frac{8}{15}$ 입니다.

진분수의 곱셈은 분자는 분자끼리, 분모는 분모끼리 곱합니다.

🔖 여러 가지 방법으로 약분을 하는 진분수의 곱셈을 해 보세요.

① 곱셈을 한 다음 약분하기
② 곱셈을 하면서 약분하기
③ 곱셈을 하기 전 약분하기

① $\dfrac{1}{8} \times \dfrac{2}{5} = \dfrac{1 \times 2}{8 \times 5} = \dfrac{\overset{\square}{2}}{\underset{\square}{40}} = \dfrac{\square}{\square}$

② $\dfrac{1}{8} \times \dfrac{2}{5} = \dfrac{1 \times \overset{\square}{2}}{\underset{\square}{8 \times 5}} = \dfrac{\square}{\square}$

③ $\dfrac{1}{\underset{\square}{8}} \times \dfrac{\overset{\square}{2}}{5} = \dfrac{\square}{\square}$

① $\dfrac{5}{6} \times \dfrac{9}{10} = \dfrac{5 \times 9}{6 \times 10} = \dfrac{\overset{\square}{45}}{\underset{\square}{60}} = \dfrac{\square}{\square}$

② $\dfrac{5}{6} \times \dfrac{9}{10} = \dfrac{\overset{\square}{5} \times \overset{\square}{9}}{\underset{\square}{6 \times 10}} = \dfrac{\square}{\square}$

③ $\dfrac{\overset{\square}{5}}{\underset{\square}{6}} \times \dfrac{\overset{\square}{9}}{\underset{\square}{10}} = \dfrac{\square}{\square}$

① $\dfrac{1}{2} \times \dfrac{4}{5} \times \dfrac{3}{4} = \dfrac{1 \times 4 \times 3}{2 \times 5 \times 4} = \dfrac{\overset{\square}{12}}{\underset{\square}{40}} = \dfrac{\square}{\square}$

② $\dfrac{1}{2} \times \dfrac{4}{5} \times \dfrac{3}{4} = \dfrac{1 \times \overset{\square}{4} \times 3}{2 \times 5 \times \underset{\square}{4}} = \dfrac{\square}{\square}$

③ $\dfrac{1}{2} \times \dfrac{\overset{\square}{4}}{5} \times \dfrac{3}{\underset{\square}{4}} = \dfrac{\square}{\square}$

📘 계산해 보세요. (약분할 수 있으면 기약분수로 나타냅니다.)

$\dfrac{1}{5} \times \dfrac{1}{6}$ $\qquad\qquad\qquad$ $\dfrac{1}{7} \times \dfrac{1}{9}$

$\dfrac{1}{5} \times \dfrac{4}{5}$ $\qquad\qquad\qquad$ $\dfrac{7}{8} \times \dfrac{1}{7}$

$\dfrac{4}{9} \times \dfrac{6}{7}$ $\qquad\qquad\qquad$ $\dfrac{3}{4} \times \dfrac{7}{12}$

$\dfrac{9}{10} \times \dfrac{2}{3}$ $\qquad\qquad\qquad$ $\dfrac{5}{6} \times \dfrac{4}{11}$

$\dfrac{1}{7} \times \dfrac{1}{2} \times \dfrac{3}{5}$ $\qquad\qquad\qquad$ $\dfrac{5}{8} \times \dfrac{2}{9} \times \dfrac{1}{5}$

★ 분수의 덧셈과 곱셈

$$\dfrac{1}{4} + \dfrac{2}{3} = \dfrac{3}{12} + \dfrac{8}{12} = \dfrac{11}{12}$$

$$\dfrac{1}{4} \times \dfrac{2}{3} = \dfrac{1 \times \overset{1}{2}}{\underset{2}{4} \times 3} = \dfrac{1}{6}$$

약분은 분모와 분자의 공약수로 나누는 것입니다. 분수의 덧셈은 분자만 더하므로 계산 과정에서 약분할 수 없지만, 분수의 곱셈은 분자끼리, 분모끼리 곱하므로 계산 과정 또는 계산 전에 약분할 수 있습니다.

$$\left(\dfrac{1}{4} + \dfrac{2}{3} = \dfrac{\overset{1}{3+8}}{\underset{4}{12}} = \dfrac{9}{4} = 2\dfrac{1}{4}\right) \times$$

$$\left(\dfrac{1}{\underset{2}{4}} \times \dfrac{\overset{1}{2}}{3} = \dfrac{1}{6}\right) \bigcirc$$

가분수로 바꾸어 곱하기

🔖 자연수와 대분수를 가분수로 바꾸어 분수의 곱셈을 해 보세요.

$3 \times \dfrac{1}{4} = \dfrac{3}{1} \times \dfrac{1}{4} = \dfrac{\square}{\square}$

자연수 3은 가분수 $\dfrac{3}{1}$으로 나타낼 수 있습니다.

$8 \times \dfrac{3}{4} = \dfrac{\overset{\square}{\cancel{8}}}{\square} \times \dfrac{\square}{\underset{\square}{\cancel{4}}} = \square$

$\dfrac{6}{7} \times 4 = \dfrac{\square}{7} \times \dfrac{4}{\square} = \dfrac{\square}{\square} = \square\dfrac{\square}{\square}$

$\dfrac{4}{9} \times 6 = \dfrac{4}{\underset{\square}{\cancel{9}}} \times \dfrac{\overset{\square}{\cancel{6}}}{1} = \dfrac{\square}{\square} = \square\dfrac{\square}{\square}$

$1\dfrac{1}{3} \times 2\dfrac{4}{5} = \dfrac{\square}{3} \times \dfrac{\square}{5} = \dfrac{\square}{\square} = \square\dfrac{\square}{\square}$

$2\dfrac{1}{2} \times 1\dfrac{5}{6} = \dfrac{5}{\square} \times \dfrac{\square}{6} = \dfrac{\square}{\square} = \square\dfrac{\square}{\square}$

$1\dfrac{3}{7} \times 4\dfrac{2}{3} = \dfrac{\square}{\underset{\square}{\cancel{7}}} \times \dfrac{\overset{\square}{\cancel{14}}}{\square} = \dfrac{\square}{\square} = \square\dfrac{\square}{\square}$

📖 계산해 보세요. (가분수는 대분수로 나타내고, 약분할 수 있으면 기약분수로 나타냅니다.)

$4 \times \dfrac{2}{7}$

$8 \times \dfrac{1}{6}$

$\dfrac{5}{9} \times 5$

$\dfrac{7}{10} \times 5$

$1\dfrac{2}{5} \times \dfrac{2}{3}$

$\dfrac{6}{7} \times 2\dfrac{3}{4}$

$1\dfrac{1}{3} \times 1\dfrac{4}{7}$

$1\dfrac{3}{4} \times 1\dfrac{3}{4}$

$2\dfrac{2}{7} \times 1\dfrac{3}{8}$

$2\dfrac{1}{5} \times 1\dfrac{3}{11}$

$2\dfrac{3}{9} \times 1\dfrac{5}{7}$

$3\dfrac{3}{4} \times 1\dfrac{7}{10}$

$15 \times \dfrac{1}{6} \times \dfrac{4}{5}$

$24 \times \dfrac{4}{9} \times \dfrac{5}{6}$

📖 물음에 답하세요. (가분수는 대분수로 나타내고, 약분할 수 있으면 기약분수로 나타냅니다.)

한 변이 $\frac{3}{5}$cm인 정사각형의 넓이는 몇 cm²일까요?

$\frac{3}{5}$cm

식 _____

답 _____ cm²

가로가 $2\frac{2}{5}$cm, 세로가 $1\frac{3}{8}$cm인 직사각형의 넓이는 몇 cm²일까요?

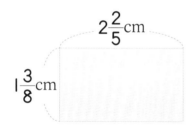

$2\frac{2}{5}$cm

$1\frac{3}{8}$cm

식 _____

답 _____ cm²

넓이가 $1\frac{5}{6}$m²인 정사각형을 4등분했습니다. 색칠된 부분의 넓이는 몇 m²일까요?

식 _____

답 _____ m²

📖 물음에 답하세요. (가분수는 대분수로 나타내고, 약분할 수 있으면 기약분수로 나타냅니다.)

승주가 가진 전체 색종이의 $\dfrac{1}{4}$은 빨간색 색종이이고, 그중 $\dfrac{2}{3}$를 사용하여 장미를 접었습니다. 장미를 접는 데 사용한 색종이는 전체의 얼마일까요?

식 _____   답 _____

미술 시간에 끈 $1\dfrac{3}{10}$m 중 $\dfrac{5}{8}$를 사용했습니다. 사용한 끈의 길이는 몇 m일까요?

식 _____   답 _____ m

5학년 학생 수는 전체 학생 수의 $\dfrac{1}{5}$입니다. 5학년 학생 수의 $\dfrac{1}{2}$은 남학생이고, 그중 $\dfrac{2}{7}$는 안경을 썼습니다. 안경을 쓴 5학년 남학생은 전체 학생의 얼마일까요?

식 _____   답 _____

재희는 오늘 90쪽짜리 동화책의 $\dfrac{1}{3}$을 읽었습니다. 그중 $\dfrac{2}{5}$를 저녁에 읽었습니다. 재희가 오늘 저녁에 읽은 책은 몇 쪽일까요?

식 _____   답 _____ 쪽

이야기하기 (2)

📖 물음에 답하세요. (가분수는 대분수로 나타내고, 약분할 수 있으면 기약분수로 나타냅니다.)

> 신우는 어제 동화책 한 권의 $\frac{1}{5}$을 읽었고, 오늘은 어제 읽고 난 나머지의 $\frac{1}{3}$을 읽었습니다. 물음에 답하세요.

신우가 오늘 읽은 양은 동화책 전체의 얼마인가요?

(   )

어제 읽고 난 나머지는 전체의 $\frac{4}{5}$입니다.

책 한 권이 60쪽이라면 오늘 읽은 양은 몇 쪽인가요?

(   )

> 은재네 집에 있는 전체 사탕의 $\frac{3}{8}$은 딸기 맛이고, 딸기 맛을 제외한 나머지의 $\frac{2}{5}$는 포도 맛입니다. 물음에 답하세요.

포도 맛 사탕은 전체 사탕의 얼마인가요?

(   )

사탕이 모두 100개라면 포도 맛 사탕은 몇 개인가요?

(   )

📘 물음에 답하세요. (가분수는 대분수로 나타내고, 약분할 수 있으면 기약분수로 나타냅니다.)

재연이는 하루 24시간 중 $\frac{1}{3}$은 잠을 잡니다. 잠을 자는 시간을 뺀 나머지의 $\frac{1}{8}$은 운동을 합니다. 재연이는 하루에 운동을 몇 시간 할까요?

(　　　　　　　)

준성이네 반 학생 25명 중 $\frac{3}{5}$은 축구를 좋아하고, 나머지 학생의 $\frac{3}{5}$은 야구를 좋아합니다. 야구를 좋아하는 학생은 몇 명일까요?

(　　　　　　　)

진호는 색종이 60장 중에서 미술 시간에 $\frac{3}{10}$을 사용했고, 남은 색종이의 $\frac{2}{3}$로 선물을 포장했습니다. 선물을 포장하는 데 사용한 색종이는 몇 장일까요?

(　　　　　　　)

우유 $\frac{9}{10}$L가 있습니다. 효민이는 어제 전체 우유의 $\frac{1}{3}$을 마시고, 오늘은 어제 마시고 남은 양의 $\frac{5}{6}$를 마셨습니다. 오늘 마신 우유는 몇 L일까요?

(　　　　　　　)

📖 진분수의 곱셈식입니다. 수 카드 중 2장을 빈칸에 써넣어 계산 결과가 가장 작은 식을
만들고 계산해 보세요. (계산 결과는 기약분수로 나타냅니다.)

$\dfrac{\square}{5} \times \dfrac{\square}{7} =$ _____

작은 두 수를 곱하면 계산 결과가 작아집니다.

6   7   8   9

$\dfrac{1}{\square} \times \dfrac{1}{\square} =$ _____

2   5   7   9

$\dfrac{1}{3} \times \dfrac{\square}{\square} =$ _____

1   3   5   7

$\dfrac{\square}{\square} \times \dfrac{5}{8} =$ _____

1   2   8   9

$\dfrac{4}{\square} \times \dfrac{\square}{4} =$ _____

4   5   6   7

$\dfrac{\square}{9} \times \dfrac{2}{\square} =$ _____

4주차 소수와 자연수의 곱셈

📖 여러 가지 방법으로 소수와 자연수의 곱셈을 해 보세요.

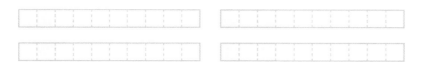

① 0.3 × 4 = 0.3 + 0.3 + 0.3 + 0.3 = ☐

① 덧셈식으로 계산하기
② 분수의 곱셈으로 계산하기
③ 0.1의 개수로 계산하기

② $0.3 \times 4 = \dfrac{\boxed{}}{10} \times 4 = \dfrac{\boxed{}}{10} = \boxed{}$

③ 0.3 × 4는 0.1이 3개씩 ☐ 묶음입니다.

0.1이 모두 ☐ 개이므로 0.3 × 4 = ☐ 입니다.

① 1.5 × 5 = 1.5 + 1.5 + ☐ + ☐ + ☐ = ☐

② $1.5 \times 5 = \dfrac{\boxed{}}{10} \times 5 = \dfrac{\boxed{}}{10} = \boxed{}$

③ 1.5 × 5는 0.1이 ☐ 개씩 ☐ 묶음입니다.

0.1이 모두 ☐ 개이므로 1.5 × 5 = ☐ 입니다.

📖 계산해 보세요. (계산 결과는 소수 또는 자연수로 나타냅니다.)

0.8×4

0.6×5

0.5×3

0.6×13

0.25×7

0.25는 0.01이 25개로 $\frac{25}{100}$ 입니다.

0.33×12

1.4×3

2.8×5

4.1×9

5.8×6

3.22×3

1.05×5

8.62×2

5.43×10

■ 여러 가지 방법으로 자연수와 소수의 곱셈을 해 보세요.

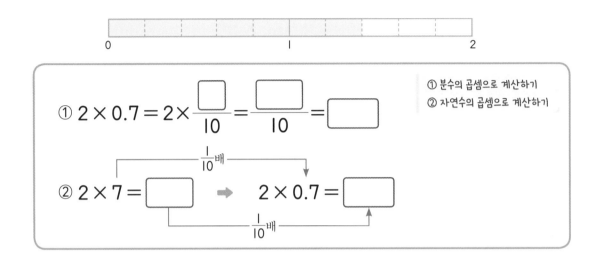

① 분수의 곱셈으로 계산하기
② 자연수의 곱셈으로 계산하기

① $2 \times 0.7 = 2 \times \dfrac{\boxed{}}{10} = \dfrac{\boxed{}}{10} = \boxed{}$

② $2 \times 7 = \boxed{}$ ➡ $2 \times 0.7 = \boxed{}$

$\dfrac{1}{10}$배

① $3 \times 2.4 = 3 \times \dfrac{\boxed{}}{10} = \dfrac{\boxed{}}{10} = \boxed{}$

② $3 \times 24 = \boxed{}$ ➡ $3 \times 2.4 = \boxed{}$

$\dfrac{1}{10}$배

★ 자연수의 곱셈으로 계산

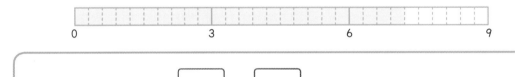

$$3 \times 80 = 240$$
$$\downarrow \tfrac{1}{10}\text{배} \quad \downarrow \tfrac{1}{10}\text{배}$$
$$3 \times 8 = 24$$

$$3 \times 8 = 24$$
$$\downarrow \tfrac{1}{10}\text{배} \quad \downarrow \tfrac{1}{10}\text{배}$$
$$3 \times 0.8 = 2.4$$

곱하는 수가 $\dfrac{1}{10}$배이면

계산 결과도 $\dfrac{1}{10}$배가 됩니다.

📘 계산해 보세요. (계산 결과는 소수 또는 자연수로 나타냅니다.)

4×0.6

9×0.7

13×0.3

10×0.9

5×0.14

31×0.56

5×14의 $\frac{1}{100}$배는 5×0.14

2×3.8

6×2.6

20×7.2

15×4.5

5×1.29

8×3.07

30×2.18

14×5.81

소수와 자연수의 곱

📖 빈칸에 알맞은 수를 써넣으세요.

$4 \times 8 = \boxed{}$

$4 \times 0.8 = \boxed{}$

$4 \times 0.08 = \boxed{}$

$30 \times 6 = \boxed{}$

$30 \times 0.6 = \boxed{}$

$30 \times 0.06 = \boxed{}$

$5 \times 12 = \boxed{}$

$5 \times 1.2 = \boxed{}$

$5 \times 0.12 = \boxed{}$

$7 \times 3 = \boxed{}$

$0.7 \times 3 = \boxed{}$

$0.07 \times 3 = \boxed{}$

$16 \times 23 = \boxed{}$

$1.6 \times 23 = \boxed{}$

$0.16 \times 23 = \boxed{}$

$15 \times 40 = \boxed{}$

$1.5 \times 40 = \boxed{}$

$0.15 \times 40 = \boxed{}$

📖 계산 결과를 찾아 이어 보세요.

0.7 × 4 ·	· 0.28	20 × 0.6 ·	· 0.12
0.7 × 40 ·	· 28	2 × 0.06 ·	· 1.2
0.07 × 4 ·	· 2.8	20 × 0.06 ·	· 12

1.6 × 5 ·	· 80	3 × 0.34 ·	· 1.02
0.16 × 5 ·	· 8	30 × 3.4 ·	· 10.2
1.6 × 50 ·	· 0.8	30 × 0.34 ·	· 102

계산 결과 비교하기

■ 빈칸에 알맞은 수를 써넣고, 알맞은 말에 ○표 하여 계산 결과를 어림해 보세요.

3.9 × 3

4 × 3 = [ ] 이고, 3.9는 4보다 작으므로

3.9 × 3은 12보다 (큽니다 , 작습니다).

4 × 5.2

4 × 5 = [ ] 이고, 5.2는 5보다 크므로

4 × 5.2는 20보다 (큽니다 , 작습니다).

0.48 × 5

0.5 × 5 = [ ] 이고, 0.48은 0.5보다 작으므로

0.48 × 5는 2.5보다 (큽니다 , 작습니다).

8 × 0.73

8 × 0.7 = [ ] 이고, 0.73은 0.7보다 크므로

8 × 0.73은 (5 , 6)에 더 가깝습니다.

5.96 × 30

5.96은 (5 , 6)에 더 가깝고, 6 × 30 = [ ] 이므로

5.96 × 30은 (150 , 180)에 더 가깝습니다.

📖 조건에 맞는 식에 모두 ○표 하세요.

| 계산 결과가 2보다 큰 식 | 0.5×3 | 0.52×4 | 0.38×5 | 1.1×2 |

| 계산 결과가 8보다 작은 식 | 2×4.1 | 4×1.8 | 8×0.97 | 3×3.03 |

| 계산 결과가 6보다 큰 식 | 2.17×3 | 1.5×3 | 0.88×6 | 1.6×4 |

| 계산 결과가 10보다 작은 식 | 5×2.2 | 2×4.7 | 10×1.03 | 5×1.99 |

| 계산 결과가 20보다 큰 식 | 1.05×20 | 9.5×2 | 4.24×5 | 4.9×4 |

📖 다음을 보고, 빈칸에 알맞은 말을 써넣으세요.

• 선우의 몸무게는 **40**kg입니다.
• 어머니의 몸무게는 선우 몸무게의 약 **1.48**배입니다.
• 아버지의 몸무게는 선우 몸무게의 약 **2.03**배입니다.
• 동생의 몸무게는 선우 몸무게의 약 **0.81**배입니다.

계산 결과를 어림
하여 가까운 값을
찾아봅니다.

[ ]의 몸무게는 약 **80**kg입니다.

[ ]의 몸무게는 약 **32**kg입니다.

[ ]의 몸무게는 약 **60**kg입니다.

• 우리나라 돈 **1000**원은 스웨덴 돈 약 **7.51**크로나입니다.
• 우리나라 돈 **1000**원은 이스라엘 돈 약 **2.93**세켈입니다.
• 우리나라 돈 **1000**원은 싱가포르 돈 약 **1.19**달러입니다.

우리나라는 '원', 스웨덴은
'크로나', 이스라엘은 '세켈',
싱가포르는 '달러'를 돈의
단위로 사용합니다.

우리나라 돈 **3000**원은 약 **3**[ ]로 바꿀 수 있습니다.

우리나라 돈 **4000**원은 약 **30**[ ]로 바꿀 수 있습니다.

우리나라 돈 **5000**원은 약 **15**[ ]로 바꿀 수 있습니다.

■ 소수의 곱셈식으로 나타내어 답을 구해 보세요.

0.5L의 물이 들어 있는 물병이 7개 있습니다. 물은 모두 몇 L일까요?

식 _____   답 _____ L

컵을 사용하지 않고 양치질을 하면 물 2L를 사용하고, 컵을 사용하면 0.65배만큼 물을 절약할 수 있습니다. 컵을 사용했을 때 절약하는 물의 양은 몇 L일까요?

식 _____   답 _____ L

민우의 키는 150cm입니다. 하은이의 키는 민우 키의 1.04배입니다. 하은이의 키는 몇 cm일까요?

식 _____   답 _____ cm

은재는 6일 동안 매일 1시간 30분씩 운동을 했습니다. 은재는 6일 동안 운동을 몇 시간 했을까요?

30분은 1시간의 반입니다.   식 _____   답 _____ 시간

빈칸에 알맞은 수를 쓰고 알맞은 말에 ○표 하세요.

두루마리 휴지가 1m당 10.5원입니다. 두루마리 휴지 1개가 30m라면 300원으로 휴지 1개를 살 수 있을까요?

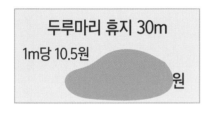
두루마리 휴지 30m
1m당 10.5원
원

30 × 10.5는 30 × ⬜ 인 300보다 크므로

300원으로 휴지를 살 수 (있습니다 , 없습니다).

승아는 1200원을 가지고 있습니다. 양파 맛 과자가 1g당 19.6원이라면 승아가 가진 돈으로 양파 맛 과자 60g을 살 수 있을까요?

양파 맛 과자 60g
1g당 19.6원
원

60 × 19.6은 60 × 20인 ⬜ 보다 작으므로

1200원으로 과자를 살 수 (있습니다 , 없습니다).

규호는 4000원을 가지고 있습니다. 새우 맛 과자가 1g당 8.5원이라면 규호가 가진 돈으로 새우 맛 과자 500g을 살 수 있을까요?

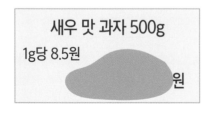
새우 맛 과자 500g
1g당 8.5원
원

500 × 8.5는 500 × ⬜ 인 4000보다 크므로

4000원으로 과자를 살 수 (있습니다 , 없습니다).

5주차 소수의 곱셈

🔹 여러 가지 방법으로 소수의 곱셈을 해 보세요.

① $0.7 \times 0.6 = \dfrac{7}{10} \times \dfrac{\boxed{}}{10}$

$= \dfrac{\boxed{}}{100} = \boxed{}$

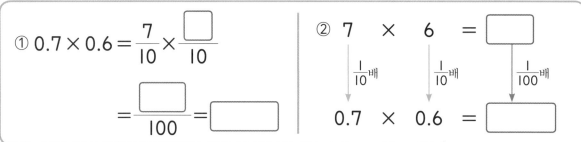

② $7 \times 6 = \boxed{}$

$\downarrow \frac{1}{10}$배 $\downarrow \frac{1}{10}$배 $\downarrow \frac{1}{100}$배

$0.7 \times 0.6 = \boxed{}$

① 분수의 곱셈으로 계산하기
② 자연수의 곱셈으로 계산하기

① $1.5 \times 0.48 = \dfrac{\boxed{}}{10} \times \dfrac{48}{100}$

$= \dfrac{\boxed{}}{1000} = \boxed{}$

② $15 \times 48 = \boxed{}$

$\downarrow \frac{1}{10}$배 $\downarrow \frac{1}{100}$배 $\downarrow \frac{1}{1000}$배

$1.5 \times 0.48 = \boxed{}$

① $3.4 \times 6.2 = \dfrac{34}{10} \times \dfrac{\boxed{}}{10}$

$= \dfrac{\boxed{}}{100} = \boxed{}$

② $34 \times 62 = \boxed{}$

$\downarrow \frac{1}{10}$배 $\downarrow \frac{1}{10}$배 $\downarrow \frac{1}{100}$배

$3.4 \times 6.2 = \boxed{}$

⭐ **자연수의 곱셈으로 계산**

$13 \times 7 = 91$
$\downarrow \frac{1}{10}$배 $\downarrow \frac{1}{10}$배 $\downarrow \frac{1}{100}$배
$1.3 \times 0.7 = 0.91$

$13 \times 7 = 91$
$\downarrow \frac{1}{10}$배 $\downarrow \frac{1}{100}$배 $\downarrow \frac{1}{1000}$배
$1.3 \times 0.07 = 0.091$

🎴 계산해 보세요. (계산 결과는 소수로 나타냅니다.)

0.8×0.3

0.5×0.37

2.3×3.6

1.26×0.4

8.1×5.5

4.5×1.38

$$\begin{array}{r} 0.4 \\ \times\ 0.7 \\ \hline \end{array}$$

$$\begin{array}{r} 0.0\ 8 \\ \times\quad 0.9 \\ \hline \end{array}$$

$$\begin{array}{r} 0.2\ 5 \\ \times\ 0.1\ 2 \\ \hline \end{array}$$

$$\begin{array}{r} 5.2 \\ \times\ 6.1 \\ \hline \end{array}$$

$$\begin{array}{r} 7.4\ 2 \\ \times\quad 0.6 \\ \hline \end{array}$$

$$\begin{array}{r} 3.0\ 8 \\ \times\quad 1.5 \\ \hline \end{array}$$

★ 세로로 곱셈하기

$$\begin{array}{r} 1.3\ 8 \\ \times\quad 0.5 \\ \hline 6\ 9\ 0 \end{array}$$
자연수처럼
생각하여
계산합니다.

➡

$$\begin{array}{r} 1.3\ 8 \\ \times\quad 0.5 \\ \hline 0.6\ 9\ 0 \end{array}$$
자연수 곱셈의 $\dfrac{1}{1000}$배
(0.001배)이므로 소수점을
왼쪽으로 세 자리 옮깁니다.

➡

$$\begin{array}{r} 1.3\ 8 \\ \times\quad 0.5 \\ \hline 0.6\ 9 \end{array}$$

소수점 아래 마지막 0을 생략할 수 있으면 생략합니다.

🗂 자연수의 계산 결과를 보고 소수의 곱셈을 해 보세요.

$4 \times 7 = 28$

$0.4 \times 0.7 = \boxed{}$

$0.4 \times 0.07 = \boxed{}$

$0.04 \times 0.07 = \boxed{}$

$25 \times 26 = 650$

$2.5 \times 2.6 = \boxed{}$

$0.25 \times 2.6 = \boxed{}$

$0.25 \times 0.26 = \boxed{}$

$8 \times 12 = 96$

$8 \times 120 = \boxed{}$

$0.8 \times 120 = \boxed{}$

$80 \times 0.12 = \boxed{}$

$23 \times 47 = 1081$

$230 \times 47 = \boxed{}$

$230 \times 0.47 = \boxed{}$

$2300 \times 0.47 = \boxed{}$

⭐ **곱의 소수점의 위치**

$$72 \times 0.3 = 21.6 \qquad 7.2 \times 3 = 21.6$$

$$72 \times 3 = 216 \qquad 72 \times 0.03 = 2.16 \qquad 0.72 \times 3 = 2.16 \qquad 7.2 \times 0.3 = 2.16$$

$$7.2 \times 0.03 = 0.216 \qquad 0.72 \times 0.3 = 0.216$$

곱하는 두 수가 $\frac{1}{10}$배(0.1배), $\frac{1}{100}$배(0.01배)가 되면 결과도 각각 $\frac{1}{10}$배(0.1배), $\frac{1}{100}$배(0.01배)가 되므로

곱하는 두 수의 소수점 아래 자리 수가 하나씩 늘어날 때마다 결과의 소수점이 왼쪽으로 한 자리씩 옮겨집니다.

📖 계산 결과가 같은 것끼리 이어 보세요.

0.9 × 3 ·	· 9 × 0.03 ·	· 0.27
0.9 × 0.3 ·	· 0.9 × 0.03 ·	· 2.7
0.09 × 0.3 ·	· 90 × 0.03 ·	· 0.027

1.5 × 4 ·	· 1.5 × 0.04 ·	· 0.6
0.15 × 0.4 ·	· 15 × 0.4 ·	· 0.06
0.15 × 4 ·	· 1.5 × 0.4 ·	· 6

2.7 × 3.6 ·	· 270 × 0.36 ·	· 0.972
2.7 × 0.36 ·	· 0.27 × 36 ·	· 9.72
27 × 3.6 ·	· 0.27 × 3.6 ·	· 97.2

소수점의 위치 (2)

📖 빈칸에 소수 또는 자연수를 알맞게 써넣으세요.

$$3 \times 0.5 = 0.3 \times \boxed{}$$

3×5의 $\frac{1}{10}$배입니다.

$$90 \times 0.04 = \boxed{} \times 4$$

9×4를 10배 하고 $\frac{1}{100}$배 했으므로 9×4의 $\frac{1}{10}$배입니다.

$$2.3 \times 7.5 = 23 \times \boxed{}$$

$$0.42 \times 400 = \boxed{} \times 4$$

$$31.4 \times 78 = 3.14 \times \boxed{}$$

$$52.1 \times 19 = \boxed{} \times 1900$$

$$32.8 \times 4.6 = 0.328 \times \boxed{}$$

■ 빈칸에 소수 또는 자연수를 알맞게 써넣으세요.

$4 \times 7 = 28$

$0.4 \times \boxed{} = 0.28$

$0.04 \times \boxed{} = 0.028$

$40 \times \boxed{} = 2.8$

$6 \times 5 = 30$

$\boxed{} \times 0.5 = 0.3$

$\boxed{} \times 0.05 = 3$

$\boxed{} \times 0.05 = 0.003$

$39 \times 8 = 312$

$\boxed{} \times 0.8 = 3.12$

$\boxed{} \times 800 = 312$

$\boxed{} \times 0.08 = 31.2$

$76 \times 25 = 1900$

$7.6 \times \boxed{} = 19$

$0.76 \times \boxed{} = 0.19$

$760 \times \boxed{} = 190$

$196 \times 36 = 7056$

$19.6 \times \boxed{} = 70.56$

$1.96 \times \boxed{} = 0.7056$

$0.196 \times \boxed{} = 705.6$

$528 \times 23 = 12144$

$\boxed{} \times 2.3 = 121.44$

$\boxed{} \times 0.23 = 1.2144$

$\boxed{} \times 2300 = 1214.4$

📗 빈칸에 알맞은 수를 써넣고, 알맞은 말에 ○표 하세요.

0.3 × 0.8

3 × 8 = 24입니다.

0.3의 0.8배는 0.3의 1배인 0.3보다 (커야 , 작아야) 하므로

0.3 × 0.8은 (0.24 , 2.4)입니다.

1.5 × 3.2

15 × 32 = 480입니다.

1.5의 3.2배는 1.5의 3배인 4.5보다 (커야 , 작아야) 하므로

1.5 × 3.2는 (0.48 , 4.8)입니다.

0.59 × 3.1

59 × 31 = 1829입니다.

0.59를 0.6, 3.1을 3으로 어림하면 0.6 × 3 = ☐ 입니다.

0.59 × 3.1은 ☐ 과 가까운 (1.829 , 18.29)입니다.

4.8 × 0.55

48 × 55 = 2640입니다. 4.8의 0.55배를 4.8의 0.5배로

어림하면 4.8의 반은 ☐ 입니다.

4.8 × 0.55는 ☐ 와 가까운 (0.264 , 2.64)입니다.

📖 곱하는 두 수의 크기를 어림하여 계산 결과에 ○표 하세요.

0.4 × 0.9	0.8 × 0.6	0.5 × 1.2
0.36	4.8	6
3.6	0.48	0.06
0.036	0.048	0.6

7.3 × 5.9	0.87 × 3.1	1.6 × 2.25
4.307	26.97	36
43.07	0.2697	3.6
430.7	2.697	0.36

0.15 × 2.28	0.25 × 10.6	1.95 × 4.04
0.0342	2.65	78.78
3.42	26.5	7.878
0.342	0.265	0.7878

📖 물음에 답하세요.

시은이는 0.24×0.5의 값이 0.12인지 확인하기 위해 두 수를 계
산기에 눌렀는데 수 하나의 소수점 위치를 잘못 눌러서 1.2가 나왔
습니다. 시은이가 계산기에 누른 수를 써 보세요.

$$\boxed{} \times 0.5$$

준하는 3.7×0.08을 계산하려고 두 수를 계산기에 눌렀는데 수 하
나의 소수점 위치를 잘못 눌러서 2.96이 나왔습니다. 준하가 계산
기에 누른 두 수를 써 보세요.

$$\boxed{} \times \boxed{}$$

연수는 10.5×10.6을 계산하려고 두 수를 계산기에 눌렀는데 수
하나의 소수점 위치를 잘못 눌러서 11.13이 나왔습니다. 연수가 계
산기에 누른 두 수를 써 보세요.

$$\boxed{} \times \boxed{}$$

■ 소수의 곱셈식으로 나타내어 답을 구해 보세요.

민호가 기르는 강낭콩이 일주일 전에 **3.2cm**였습니다. 지금은 일주일 전의 **1.8배** 가 되었다면 지금 강낭콩의 길이는 몇 cm일까요?

식 _____ 답 _____ cm

초코 우유 한 팩은 **0.25L**입니다. 그중 **0.4**만큼이 원유라면 초코 우유 한 팩에 원유는 몇 L 들어 있을까요?

식 _____ 답 _____ L

윤아의 키는 **1.4m**이고, 은성이의 키는 윤아보다 **0.1배**만큼 더 큽니다. 은성이의 키는 몇 m일까요?

0.1배만큼 더 크므로
윤아 키의 1.1배입니다.

식 _____ 답 _____ m

직사각형 모양의 화단의 세로가 **6.5m**입니다. 가로는 세로보다 **0.5배**만큼 더 길다면 화단의 가로는 몇 m일까요?

식 _____ 답 _____ m

■ 물음에 답하세요. (답은 소수로 나타냅니다.)

가로와 세로가 각각 **7.5**cm인 색종이가 있습니다. 색종이를 잘라 가로와 세로를 각각 처음 길이의 **0.6**배로 만들려고 합니다. 물음에 답하세요.

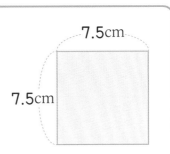

자른 색종이의 가로와 세로는 몇 cm인가요?

가로 (   )

세로 (   )

자른 색종이의 넓이는 몇 cm²인가요?

(   )

민성이는 가로가 **8.2**cm, 세로가 **6.6**cm인 직사각형을 그렸습니다. 연우는 민성이가 그린 직사각형의 가로와 세로를 각각 **1.5**배로 늘린 직사각형을 그렸습니다. 물음에 답하세요.

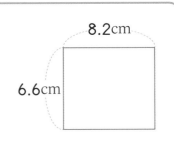

연우가 그린 직사각형의 가로와 세로는 몇 cm인가요?

가로 (   )

세로 (   )

연우가 그린 직사각형의 넓이는 몇 cm²인가요?

(   )

하루 한 장 75일
집중 완성

교과
연산

정답

초5

E3

분수와 소수의 곱셈

HERO

정답

8·9쪽

51 (진분수)×(자연수)

월 일

■ 약분을 하지 않는 분수의 곱셈을 해 보세요.

$$\frac{1}{7} \times 3 = \frac{1 \times 3}{7} = \frac{\boxed{3}}{7}$$

$$\frac{1}{7} \times 3 = \frac{1}{7} + \frac{1}{7} + \frac{1}{7} = \frac{3}{7}$$

$$\frac{2}{3} \times 4 = \frac{2 \times \boxed{4}}{3} = \frac{\boxed{8}}{3} = \boxed{2}\frac{\boxed{2}}{3}$$

$$\frac{8}{9} \times 2 = \frac{\boxed{8} \times 2}{\boxed{9}} = \frac{\boxed{16}}{\boxed{9}} = \boxed{1}\frac{\boxed{7}}{9}$$

★ (진분수)×(자연수)

$\frac{2}{5} \times 3$은 $\frac{2}{5}$를 3번 더하는 것과 같고, 분모가 같은 분수의 덧셈에서는 분모는 그대로 두고 분자만 더하므로

$\frac{2}{5} \times 3 = \frac{2}{5} + \frac{2}{5} + \frac{2}{5} = \frac{2+2+2}{5} = \frac{2 \times 3}{5} = \frac{6}{5} = 1\frac{1}{5}$입니다.

따라서 진분수와 자연수의 곱셈에서는 분모는 그대로 두고 분자와 자연수만 곱합니다.

■ 여러 가지 방법으로 약분을 하는 분수의 곱셈을 해 보세요.

$\frac{4}{9} \times 3$

① $\frac{4}{9} \times 3 = \frac{4 \times 3}{9} = \frac{\overset{4}{\cancel{12}}}{\underset{3}{\cancel{9}}} = \frac{\boxed{4}}{\boxed{3}} = \boxed{1}\frac{\boxed{1}}{\boxed{3}}$

② $\frac{4}{\underset{3}{\cancel{9}}} \times \overset{\boxed{1}}{3} = \frac{\boxed{4}}{\boxed{3}} = \boxed{1}\frac{\boxed{1}}{\boxed{3}}$

$\frac{5}{6} \times 8$

① $\frac{5}{6} \times 8 = \frac{5 \times 8}{6} = \frac{\overset{20}{\cancel{40}}}{\underset{3}{\cancel{6}}} = \frac{\boxed{20}}{\boxed{3}} = \boxed{6}\frac{\boxed{2}}{\boxed{3}}$

② $\frac{5}{\underset{3}{\cancel{6}}} \times \overset{\boxed{4}}{8} = \frac{5 \times \boxed{4}}{3} = \frac{\boxed{20}}{\boxed{3}} = \boxed{6}\frac{\boxed{2}}{\boxed{3}}$

약분이 가능한 분수의 곱셈을 할 때는
①과 같이 곱셈을 한 다음 약분을 하거나 ②와 같이 약분을 먼저 하고 곱셈을 할 수 있습니다.

① $\frac{5}{6} \times 4 = \frac{5 \times 4}{6} = \frac{\overset{10}{\cancel{20}}}{\underset{3}{\cancel{6}}} = \frac{10}{3} = 3\frac{1}{3}$

② $\frac{5}{\underset{3}{\cancel{6}}} \times \overset{2}{4} = \frac{5 \times 2}{3} = \frac{10}{3} = 3\frac{1}{3}$

10·11쪽

52 (대분수)×(자연수)

월 일

■ 대분수를 가분수로 나타내어 분수의 곱셈을 해 보세요.

$$1\frac{1}{5} \times 3 = \frac{6}{5} \times 3 = \frac{\boxed{18}}{5} = \boxed{3}\frac{\boxed{3}}{5}$$

$1\frac{1}{5} \times 3$은 $\frac{6}{5} + \frac{6}{5} + \frac{6}{5} + \frac{6}{5} + \frac{6}{5}$

$$2\frac{3}{4} \times 2 = \frac{11}{\underset{2}{\cancel{4}}} \times \overset{\boxed{1}}{2} = \frac{\boxed{11}}{\boxed{2}} = \boxed{5}\frac{\boxed{1}}{\boxed{2}}$$

$$1\frac{2}{3} \times 4 = \frac{\boxed{5}}{\boxed{3}} \times 4 = \frac{\boxed{20}}{\boxed{3}} = \boxed{6}\frac{\boxed{2}}{\boxed{3}}$$

★ (대분수)×(자연수)

대분수와 자연수의 곱셈은
① 대분수를 가분수로 나타내거나 ② 대분수를 자연수와 진분수의 합으로 바꾸어 계산할 수 있습니다.

①

$1\frac{3}{4}$은 $\frac{7}{4}$이므로 $1\frac{3}{4} \times 3 = \frac{7}{4} \times 3 = \frac{7 \times 3}{4} = \frac{21}{4} = 5\frac{1}{4}$입니다.

■ 대분수를 자연수와 진분수의 합으로 바꾸어 분수의 곱셈을 해 보세요.

$$1\frac{1}{4} \times 3 = (1 \times 3) + (\frac{1}{4} \times 3) = \boxed{3} + \frac{\boxed{3}}{\boxed{4}} = \boxed{3}\frac{\boxed{3}}{\boxed{4}}$$

$1\frac{1}{4} \times 3$
$= (1+1+1) + (\frac{1}{4} + \frac{1}{4} + \frac{1}{4})$
$= 3 + \frac{3}{4} = 3\frac{3}{4}$

$$1\frac{5}{6} \times 4 = (\boxed{1} \times 4) + (\frac{5}{\underset{3}{\cancel{6}}} \times \overset{\boxed{2}}{4}) = \boxed{4} + \frac{\boxed{10}}{\boxed{3}} = \boxed{7}\frac{\boxed{1}}{\boxed{3}}$$

$$3\frac{4}{5} \times 2 = (3 \times \boxed{2}) + (\frac{\boxed{4}}{5} \times 2) = \boxed{6} + \frac{\boxed{8}}{\boxed{5}} = \boxed{7}\frac{\boxed{3}}{\boxed{5}}$$

②

$1\frac{3}{4}$은 $1 + \frac{3}{4}$이므로 $1\frac{3}{4} \times 3$은 1을 3번, $\frac{3}{4}$을 3번 더하는 것과 같습니다.

$1\frac{3}{4} \times 3 = (1+1+1) + (\frac{3}{4} + \frac{3}{4} + \frac{3}{4}) = (1 \times 3) + (\frac{3}{4} \times 3) = 3 + \frac{9}{4} = 5\frac{1}{4}$

53일 분수와 자연수의 곱

계산해 보세요. (가분수는 대분수로 나타내고, 약분할 수 있으면 기약분수로 나타냅니다.)

$\dfrac{1}{3} \times 7 = 2\dfrac{1}{3}$ 　　　　 $\dfrac{4}{7} \times 5 = 2\dfrac{6}{7}$

$\dfrac{5}{12} \times 6 = 2\dfrac{1}{2}$ 　　　　 $\dfrac{3}{10} \times 4 = 1\dfrac{1}{5}$

$\dfrac{4}{5} \times 15 = 12$ 　　　　 $\dfrac{3}{4} \times 14 = 10\dfrac{1}{2}$

$1\dfrac{1}{4} \times 3 = 3\dfrac{3}{4}$ 　　　　 $2\dfrac{2}{9} \times 4 = 8\dfrac{8}{9}$

$3\dfrac{1}{3} \times 2 = 6\dfrac{2}{3}$ 　　　　 $1\dfrac{3}{8} \times 5 = 6\dfrac{7}{8}$

$4\dfrac{1}{6} \times 3 = 12\dfrac{1}{2}$ 　　　　 $2\dfrac{4}{9} \times 6 = 14\dfrac{2}{3}$

$1\dfrac{5}{8} \times 10 = 16\dfrac{1}{4}$ 　　　　 $5\dfrac{2}{3} \times 9 = 51$

잘못된 계산식입니다. 식을 바르게 고쳐 계산해 보세요. (계산 결과가 가분수이면 대분수로 나타내고, 약분할 수 있으면 기약분수로 나타냅니다.)

$\dfrac{3}{5} \times 4 = \dfrac{3\times4}{5\times4} = \dfrac{12}{20} = \dfrac{3}{5}$ → $\dfrac{3}{5} \times 4 = \dfrac{3\times4}{5} = \dfrac{12}{5} = 2\dfrac{2}{5}$

자연수는 분자와 곱합니다.

$\dfrac{4}{9} \times 8 = \dfrac{4}{9\times8} = \dfrac{4}{72} = \dfrac{1}{18}$ → $\dfrac{4}{9} \times 8 = \dfrac{4\times8}{9} = \dfrac{32}{9} = 3\dfrac{5}{9}$

$2\dfrac{1}{7} \times 5 = (2\times5)+\left(\dfrac{1}{7}\times5\right)$
$= 10+\dfrac{1}{35} = 10\dfrac{1}{35}$
→ $2\dfrac{1}{7} \times 5 = (2\times5)+\left(\dfrac{1}{7}\times5\right)$
$= 10+\dfrac{5}{7} = 10\dfrac{5}{7}$

$1\dfrac{3}{8} \times 6 = \dfrac{7}{4} \times 3 = \dfrac{21}{4} = 5\dfrac{1}{4}$
→ $1\dfrac{3}{8} \times 6 = \dfrac{11}{8} \times 6 = \dfrac{33}{4} = 8\dfrac{1}{4}$
또는 $1\dfrac{3}{8} \times 6 = \dfrac{11}{8} \times 6 = \dfrac{66}{8} = 8\dfrac{1}{4}$

대분수는 자연수와 진분수의 합으로 이루어졌으므로 대분수에서 바로 약분하면 결과가 달라집니다. 대분수를 가분수로 바꾼 후 약분해야 합니다.

54일 계산 결과 비교하기

계산 결과가 다른 식 하나에 ×표 하세요.

$\dfrac{5}{6}\times4$	$\dfrac{5}{3}\times2$
$\dfrac{4}{6}\times5$	~~$\dfrac{5}{6}\times6$~~

$\dfrac{1}{2}\times3$	~~$\dfrac{3}{7}\times14$~~
$\dfrac{3}{14}\times7$	$\dfrac{7}{14}\times3$

~~$\dfrac{1}{10}\times4$~~	$\dfrac{1}{9}\times3$
$\dfrac{1}{6}\times2$	$\dfrac{1}{18}\times6$

$\dfrac{4}{6}\times4$	$1\dfrac{1}{3}\times2$
~~$\dfrac{5}{2}\times8$~~	$\dfrac{4}{3}\times2$

$\dfrac{17}{4}\times5$	~~$2\dfrac{1}{4}\times5$~~
$2\dfrac{1}{8}\times10$	$1\dfrac{1}{4}\times17$

~~$2\dfrac{1}{2}\times5$~~	$\dfrac{23}{5}\times2$
$\dfrac{4}{10}\times23$	$2\dfrac{3}{10}\times4$

계산 결과가 자연수인 것을 찾아 ○표 하세요.

$\dfrac{5}{6}\times3$	$\dfrac{1}{6}\times8$	⬭$\dfrac{5}{3}\times6$	$\dfrac{2}{3}\times4$
$\dfrac{7}{8}\times6$	⬭$\dfrac{3}{4}\times12$	$\dfrac{3}{8}\times4$	$\dfrac{7}{12}\times3$
$\dfrac{3}{10}\times5$	$\dfrac{3}{10}\times15$	$\dfrac{2}{15}\times3$	⬭$\dfrac{5}{15}\times3$
⬭$1\dfrac{2}{5}\times10$	$\dfrac{15}{10}\times5$	$1\dfrac{7}{10}\times5$	$\dfrac{7}{5}\times3$
$\dfrac{3}{12}\times9$	$\dfrac{2}{8}\times2$	⬭$\dfrac{6}{9}\times3$	$\dfrac{4}{18}\times6$

정답

55 이야기하기   월   일

■ 물음에 답하세요. (가분수는 대분수로 나타내고, 약분할 수 있으면 기약분수로 나타냅니다.)

한 변이 $5\frac{1}{4}$cm인 정사각형의 둘레는 얼마일까요?

$5\frac{1}{4}$cm

식 $5\frac{1}{4} \times 4 = 21$

답 21 cm

한 변이 $1\frac{2}{5}$cm인 정삼각형의 둘레는 얼마일까요?

$1\frac{2}{5}$cm

식 $1\frac{2}{5} \times 3 = 4\frac{1}{5}$

답 $4\frac{1}{5}$ cm

가로가 $2\frac{3}{8}$m, 세로가 6m인 직사각형 모양의 화단의 넓이는 얼마일까요?

$2\frac{3}{8}$m

6m

식 $2\frac{3}{8} \times 6 = 14\frac{1}{4}$

답 $14\frac{1}{4}$ m²

■ 물음에 답하세요. (가분수는 대분수로 나타내고, 약분할 수 있으면 기약분수로 나타냅니다.)

주스가 $\frac{7}{10}$L씩 들어 있는 병이 3병 있습니다. 주스는 모두 몇 L 있을까요?

식 $\frac{7}{10} \times 3 = 2\frac{1}{10}$

답 $2\frac{1}{10}$ L

한 사람이 케이크 한 개의 $\frac{1}{6}$씩 먹으려고 합니다. 은재네 반 학생 30명이 먹으려면 케이크는 모두 몇 개 필요할까요?

식 $\frac{1}{6} \times 30 = 5$

답 5 개

귤 한 상자의 무게가 $9\frac{5}{8}$kg입니다. 귤 6상자의 무게는 몇 kg일까요?

식 $9\frac{5}{8} \times 6 = 57\frac{3}{4}$

답 $57\frac{3}{4}$ kg

기차가 1분에 $4\frac{3}{5}$km를 달립니다. 같은 빠르기로 15분 동안 달린 거리는 몇 km일까요?

식 $4\frac{3}{5} \times 15 = 69$

답 69 km

■ 물음에 답하세요. (가분수는 대분수로 나타내고, 약분할 수 있으면 기약분수로 나타냅니다.)

성아는 매일 물을 $1\frac{1}{3}$L씩 마십니다. 성아가 일주일 동안 마시는 물은 몇 L일까요?

식 $1\frac{1}{3} \times 7 = 9\frac{1}{3}$ 답 $9\frac{1}{3}$ L

달팽이는 1mm를 움직이는 데 약 $\frac{1}{2}$초 걸립니다. 같은 빠르기로 달팽이가 1cm를 움직이려면 약 몇 초 걸릴까요?

1cm는 10mm입니다.

식 $\frac{1}{2} \times 10 = 5$ 답 5 초

은형이는 10분에 $\frac{7}{9}$km를 걷습니다. 같은 빠르기로 1시간 동안 걸은 거리는 몇 km 일까요?

식 $\frac{7}{9} \times 6 = 4\frac{2}{3}$ 답 $4\frac{2}{3}$ km

성우네 가족은 쌀을 매달 $14\frac{3}{4}$kg 소비합니다. 성우네 가족이 1년 동안 소비하는 쌀은 몇 kg일까요?

식 $14\frac{3}{4} \times 12 = 177$ 답 177 kg

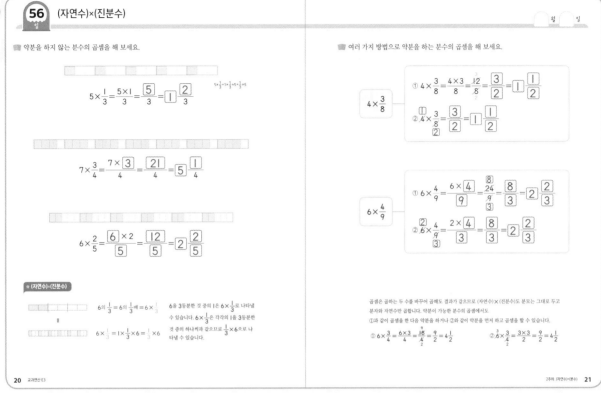

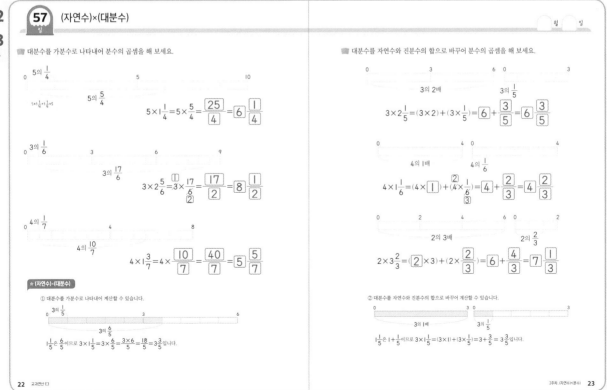

정답

24·25쪽

58 자연수와 분수의 곱

계산해 보세요. (가분수는 대분수로 나타내고, 약분할 수 있으면 기약분수로 나타냅니다.)

$6 \times \frac{1}{5} = 1\frac{1}{5}$ 　　　$5 \times \frac{2}{7} = 1\frac{3}{7}$

$7 \times \frac{3}{14} = 1\frac{1}{2}$ 　　　$8 \times \frac{1}{4} = 2$

$6 \times \frac{7}{9} = 4\frac{2}{3}$ 　　　$10 \times \frac{5}{12} = 4\frac{1}{6}$

$5 \times 1\frac{1}{3} = 6\frac{2}{3}$ 　　　$4 \times 3\frac{2}{5} = 13\frac{3}{5}$

$2 \times 1\frac{6}{7} = 3\frac{5}{7}$ 　　　$9 \times 2\frac{1}{4} = 20\frac{1}{4}$

$3 \times 2\frac{2}{3} = 8$ 　　　$4 \times 1\frac{5}{6} = 7\frac{1}{3}$

$5 \times 3\frac{3}{10} = 16\frac{1}{2}$ 　　　$12 \times 1\frac{7}{8} = 22\frac{1}{2}$

계산 결과가 같은 것끼리 이어 보세요.

26·27쪽

59 계산 결과 비교하기

계산 결과를 비교하여 ○ 안에 >, =, <를 알맞게 써넣으세요.

$6 \;\bigcirc\!\!> \; 6 \times \frac{5}{9}$
어떤 수에서 1보다 작은 수를 곱하면 결과는 어떤 수보다 작습니다.
6×(1보다 작은 수) ・ (6보다 작은 수)

$3 \;\bigcirc\!\!< \; 3 \times 1\frac{1}{2}$
어떤 수에서 1보다 큰 수를 곱하면 결과는 어떤 수보다 큽니다.
3×(1보다 큰 수) ・ (3보다 큰 수)

$9 \times \frac{7}{9} \;\bigcirc\!\!< \; 9$ 　　　$4 \times \frac{9}{8} \;\bigcirc\!\!> \; 4$

$\frac{3}{7} \;\bigcirc\!\!= \; 1 \times \frac{3}{7}$ 　　　$2\frac{5}{6} \;\bigcirc\!\!< \; 3 \times 2\frac{5}{6}$

$3 \times \frac{4}{5} \;\bigcirc\!\!< \; 3 \times 1\frac{1}{5}$ 　　　$10 \times 1\frac{3}{4} \;\bigcirc\!\!> \; 10 \times \frac{3}{4}$

$6 \times \frac{7}{8} \;\bigcirc\!\!> \; 6 \times \frac{5}{8}$ 　　　$8 \times 1\frac{1}{7} \;\bigcirc\!\!> \; 8 \times \frac{3}{7}$

$4 \times \frac{3}{5} \;\bigcirc\!\!< \; 4 \times \frac{7}{10}$ 　　　$5 \times 2\frac{1}{5} \;\bigcirc\!\!> \; 5 \times 2\frac{1}{10}$

조건에 맞는 식에 모두 ○표 하세요.

계산 결과가 2보다 큰 식

계산 결과가 3보다 작은 식

계산 결과가 5보다 큰 식

계산 결과가 4보다 작은 식

계산 결과가 6보다 큰 식

60 이야기하기

철 일

물음에 답하세요. (가분수는 대분수로 나타내고, 약분할 수 있으면 기약분수로 나타냅니다.)

길이가 5m인 철사의 $\frac{1}{8}$을 잘라 사용했습니다. 사용한 철사는 몇 m일까요?

식 $5 \times \frac{1}{8} = \frac{5}{8}$ 답 $\frac{5}{8}$ m

공책 27권 중에서 $\frac{4}{9}$를 나누어 주었다면 나누어 준 공책은 몇 권일까요?

식 $27 \times \frac{4}{9} = 12$ 답 12 권

가로가 6m, 세로가 $3\frac{5}{9}$m인 직사각형 모양의 화단이 있습니다. 화단의 넓이는 몇 m²일까요?

식 $6 \times 3\frac{5}{9} = 21\frac{1}{3}$ 답 $21\frac{1}{3}$ m²

박물관의 어른 입장료는 800원이고, 어린이 입장료는 어른 입장료의 $\frac{3}{4}$입니다. 어린이 입장료는 얼마일까요?

식 $800 \times \frac{3}{4} = 600$ 답 600 원

물음에 답하세요. (가분수는 대분수로 나타내고, 약분할 수 있으면 기약분수로 나타냅니다.)

집에서 할머니 댁까지 가는 거리는 12km입니다. 전체 거리의 $\frac{1}{4}$은 걸어가고, 나머지 거리는 버스를 탔습니다. 버스를 타고 간 거리는 몇 km일까요?

전체의 $\frac{1}{4}$을 걸었으므로 나머지는 전체의 $\frac{3}{4}$입니다.

(9km   )

전체의 $\frac{1}{4}$을 걸어갔으므로 버스를 탄 거리는 전체의 $\frac{3}{4}$입니다. $12 \times \frac{3}{4} = 9$(km)

초코 우유와 딸기 우유가 모두 30개 있습니다. 그중 $\frac{2}{5}$가 초코 우유라면 딸기 우유는 몇 개일까요?

딸기 우유는 전체의 $\frac{3}{5}$입니다. $30 \times \frac{3}{5} = 18$(개)

(18개   )

마루는 색종이 50장 중 $\frac{3}{10}$을 사용했습니다. 마루가 사용하고 남은 색종이는 몇 장일까요?

남은 색종이는 전체의 $\frac{7}{10}$입니다. $50 \times \frac{7}{10} = 35$(장)

(35장   )

지나는 하루 24시간 중 $\frac{1}{12}$은 독서를 합니다. 독서를 하고 남은 시간은 몇 시간일까요?

남은 시간은 전체의 $\frac{11}{12}$입니다. $24 \times \frac{11}{12} = 22$(시간)

(22시간   )

빈칸에 알맞은 수를 써넣으세요.

1시간은 60분입니다. 1시간의 $\frac{1}{2}$은 $\boxed{30}$ 분입니다. (60분의 $\frac{1}{2}$→60×$\frac{1}{2}$=30(분))

1시간의 $\frac{1}{3}$은 $\boxed{20}$ 분입니다.   1시간의 $\frac{2}{3}$은 $\boxed{40}$ 분입니다.
$60 \times \frac{1}{3} = 20$(분)

1시간의 $\frac{1}{6}$은 $\boxed{10}$ 분입니다.   1시간의 $\frac{5}{6}$는 $\boxed{50}$ 분입니다.

1m는 100cm입니다. $100 \times \frac{1}{2} = 50$(cm)

1m의 $\frac{1}{2}$은 $\boxed{50}$ cm입니다.   1m의 $\frac{1}{4}$은 $\boxed{25}$ cm입니다.

1m의 $\frac{3}{5}$은 $\boxed{60}$ cm입니다.   1m의 $\frac{11}{25}$은 $\boxed{44}$ cm입니다.

1L는 1000mL입니다. $1000 \times \frac{1}{2} = 500$(mL)

1L의 $\frac{1}{2}$은 $\boxed{500}$ mL입니다.   1L의 $\frac{1}{5}$은 $\boxed{200}$ mL입니다.

1L의 $\frac{3}{4}$은 $\boxed{750}$ mL입니다.   1L의 $\frac{3}{10}$은 $\boxed{300}$ mL입니다.

32·33쪽

61 (진분수)×(진분수) (1)

■ 빈칸에 알맞은 수를 써넣어 진분수의 곱셈을 해 보세요.

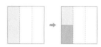

$$\frac{1}{3} \times \frac{1}{2} = \frac{1 \times 1}{3 \times \boxed{2}} = \frac{1}{\boxed{6}}$$

$$\frac{1}{2} \times \frac{1}{3} = \frac{1 \times 1}{2 \times \boxed{3}} = \frac{1}{\boxed{6}}$$

$$\frac{1}{4} \times \frac{1}{4} = \frac{1 \times \boxed{1}}{4 \times \boxed{4}} = \frac{\boxed{1}}{\boxed{16}}$$

$$\frac{1}{3} \times \frac{1}{6} = \frac{1 \times \boxed{1}}{3 \times \boxed{6}} = \frac{\boxed{1}}{\boxed{18}}$$

✻ (진분수)×(진분수)

$\frac{1}{5} \times \frac{1}{3}$은 전체를 5등분하고, 다시 각 조각을 3등분한 것입니다.

$\frac{1}{5}$ ➡ $\frac{1}{5}$의 $\frac{1}{3}$ 따라서 $\frac{1}{5} \times \frac{1}{3} = \frac{1 \times 1}{5 \times 3} = \frac{1}{15}$입니다.

전체를 5등분한 각 조각을 다시 3등분하면 전체는 15등분(5×3)이 됩니다.

■ 빈칸에 알맞은 수를 써넣어 진분수의 곱셈을 해 보세요.

$$\frac{2}{3} \times \frac{1}{5} = \frac{2 \times \boxed{1}}{3 \times \boxed{5}} = \frac{\boxed{2}}{\boxed{15}}$$

$$\frac{1}{5} \times \frac{2}{3} = \frac{1 \times \boxed{2}}{5 \times \boxed{3}} = \frac{\boxed{2}}{\boxed{15}}$$

$$\frac{3}{5} \times \frac{3}{4} = \frac{\boxed{3} \times \boxed{3}}{\boxed{5} \times \boxed{4}} = \frac{\boxed{9}}{\boxed{20}}$$

$$\frac{5}{7} \times \frac{3}{4} = \frac{\boxed{5} \times \boxed{3}}{\boxed{7} \times \boxed{4}} = \frac{\boxed{15}}{\boxed{28}}$$

$\frac{4}{5} \times \frac{2}{3}$는 전체의 $\frac{4}{5}$를 3등분한 것 중의 2입니다.

$\frac{4}{5}$ ➡ $\frac{4}{5}$의 $\frac{2}{3}$ 따라서 $\frac{4}{5} \times \frac{2}{3} = \frac{4 \times 2}{5 \times 3} = \frac{8}{15}$입니다.

진분수의 곱셈은 분자는 분자끼리, 분모는 분모끼리 곱합니다.

34·35쪽

62 (진분수)×(진분수) (2)

■ 여러 가지 방법으로 약분을 하는 진분수의 곱셈을 해 보세요.

① $\frac{1}{8} \times \frac{2}{5} = \frac{1 \times 2}{8 \times 5} = \frac{\boxed{2}}{\underset{\boxed{20}}{40}} = \frac{\boxed{1}}{\boxed{20}}$

① 곱셈을 한 다음 약분하기
② 곱셈을 하면서 약분하기
③ 곱셈을 하기 전 약분하기

② $\frac{1}{8} \times \frac{2}{5} = \frac{1 \times \boxed{2}}{8 \times 5} = \frac{\boxed{1}}{\boxed{20}}$

③ $\frac{1}{8} \times \frac{\boxed{2}}{5} = \frac{\boxed{1}}{\boxed{20}}$

① $\frac{5}{6} \times \frac{9}{10} = \frac{5 \times 9}{6 \times 10} = \frac{\boxed{45}}{\underset{\boxed{4}}{60}} = \frac{\boxed{3}}{\boxed{4}}$

② $\frac{5}{6} \times \frac{9}{10} = \frac{\boxed{1} \times \boxed{3}}{\underset{\boxed{2}}{6} \times \underset{\boxed{2}}{10}} = \frac{\boxed{3}}{\boxed{4}}$

③ $\frac{\boxed{1}}{6} \times \frac{\boxed{3}}{10} \cdot \frac{9}{\boxed{2}} = \frac{\boxed{3}}{\boxed{4}}$

① $\frac{1}{2} \times \frac{4}{5} \times \frac{3}{4} = \frac{1 \times 4 \times 3}{2 \times 5 \times 4} = \frac{\boxed{12}}{\underset{\boxed{10}}{40}} = \frac{\boxed{3}}{\boxed{10}}$

② $\frac{1}{2} \times \frac{4}{5} \times \frac{3}{4} = \frac{1 \times 4 \times 3}{2 \times 5 \times 4} = \frac{\boxed{1}}{\boxed{10}} = \frac{\boxed{3}}{\boxed{10}}$

③ $\frac{1}{2} \times \frac{\boxed{1}}{5} \times \frac{3}{4} = \frac{\boxed{3}}{\boxed{10}}$

■ 계산해 보세요. (약분할 수 있으면 기약분수로 나타냅니다.)

$$\frac{1}{5} \times \frac{1}{6} = \frac{1}{30}$$

$$\frac{1}{7} \times \frac{1}{9} = \frac{1}{63}$$

$$\frac{1}{5} \times \frac{4}{5} = \frac{4}{25}$$

$$\frac{7}{8} \times \frac{1}{7} = \frac{1}{8}$$

$$\frac{4}{9} \times \frac{6}{7} = \frac{8}{21}$$

$$\frac{3}{4} \times \frac{7}{12} = \frac{7}{16}$$

$$\frac{9}{10} \times \frac{2}{3} = \frac{3}{5}$$

$$\frac{5}{6} \times \frac{4}{11} = \frac{10}{33}$$

$$\frac{1}{7} \times \frac{1}{2} \times \frac{3}{5} = \frac{3}{70}$$

$$\frac{5}{8} \times \frac{2}{9} \times \frac{1}{5} = \frac{1}{36}$$

✻ 분수의 덧셈과 곱셈

$\frac{1}{4} + \frac{2}{3} = \frac{3}{12} + \frac{8}{12} = \frac{11}{12}$ $\frac{1}{4} \times \frac{2}{3} = \frac{1 \times \overset{1}{2}}{\underset{2}{4} \times 3} = \frac{1}{6}$

$\left(\frac{1}{4} + \frac{2}{3} = \frac{3+8}{12} = \frac{9}{4} = 2\frac{1}{4}\right) \times$ $\left(\frac{1}{4} \times \frac{2}{3} = \frac{1}{6}\right) ○$

약분은 분모와 분자의 공약수로 나누는 것입니다. 분수의 덧셈은 분자만 더하므로 계산 과정에서 약분할 수 없지만, 분수의 곱셈은 분자끼리, 분모끼리 곱하므로 계산 과정 또는 계산 전에 약분할 수 있습니다.

63 가분수로 바꾸어 곱하기

월 일

자연수와 대분수를 가분수로 바꾸어 분수의 곱셈을 해 보세요.

$$3 \times \frac{1}{4} = \frac{3}{1} \times \frac{1}{4} = \frac{\boxed{3}}{\boxed{4}}$$
자연수 3은 가분수 3/1로 나타낼 수 있습니다.

$$8 \times \frac{3}{4} = \frac{\boxed{2}\,8}{\boxed{1}} \times \frac{3}{\boxed{4}_{\boxed{1}}} = \boxed{6}$$

$$\frac{6}{7} \times 4 = \frac{\boxed{6}}{7} \times \frac{4}{\boxed{1}} = \frac{\boxed{24}}{7} = \boxed{3}\frac{\boxed{3}}{7}$$

$$\frac{4}{9} \times 6 = \frac{4}{9} \times \frac{\boxed{2}\,6}{\boxed{1}} = \frac{\boxed{8}}{3} = \boxed{2}\frac{\boxed{2}}{3}$$

$$1\frac{1}{3} \times 2\frac{4}{5} = \frac{\boxed{4}}{3} \times \frac{\boxed{14}}{5} = \frac{\boxed{56}}{15} = \boxed{3}\frac{\boxed{11}}{15}$$

$$2\frac{1}{2} \times 1\frac{5}{6} = \frac{5}{2} \times \frac{\boxed{11}}{6} = \frac{\boxed{55}}{12} = \boxed{4}\frac{\boxed{7}}{12}$$

$$1\frac{3}{7} \times 4\frac{2}{3} = \frac{\boxed{10}}{7} \times \frac{\boxed{2}\,14}{\boxed{3}_{\boxed{1}}} = \frac{\boxed{20}}{3} = \boxed{6}\frac{\boxed{2}}{3}$$

계산해 보세요. (가분수는 대분수로 나타내고, 약분할 수 있으면 기약분수로 나타냅니다.)

$$4 \times \frac{2}{7} = 1\frac{1}{7} \qquad\qquad 8 \times \frac{1}{6} = 1\frac{1}{3}$$

$$\frac{5}{9} \times 5 = 2\frac{7}{9} \qquad\qquad \frac{7}{10} \times 5 = 3\frac{1}{2}$$

$$1\frac{2}{5} \times \frac{2}{3} = \frac{14}{15} \qquad\qquad \frac{6}{7} \times 2\frac{3}{4} = 2\frac{5}{14}$$

$$1\frac{1}{3} \times 1\frac{4}{7} = 2\frac{2}{21} \qquad\qquad 1\frac{3}{4} \times 1\frac{3}{4} = 3\frac{1}{16}$$

$$2\frac{2}{7} \times 1\frac{3}{8} = 3\frac{1}{7} \qquad\qquad 2\frac{1}{5} \times 1\frac{3}{11} = 2\frac{4}{5}$$

$$2\frac{3}{9} \times 1\frac{5}{7} = 4 \qquad\qquad 3\frac{3}{4} \times 1\frac{7}{10} = 6\frac{3}{8}$$

$$15 \times \frac{1}{6} \times \frac{4}{5} = 2 \qquad\qquad 24 \times \frac{4}{9} \times \frac{5}{6} = 8\frac{8}{9}$$

64 이야기하기 (1)

월 일

물음에 답하세요. (가분수는 대분수로 나타내고, 약분할 수 있으면 기약분수로 나타냅니다.)

한 변이 $\frac{3}{5}$ cm인 정사각형의 넓이는 몇 cm²일까요?

$\frac{3}{5}$ cm

식 $\frac{3}{5} \times \frac{3}{5} = \frac{9}{25}$

답 $\frac{9}{25}$ cm²

가로가 $2\frac{2}{5}$ cm, 세로가 $1\frac{3}{8}$ cm인 직사각형의 넓이는 몇 cm²일까요?

$2\frac{2}{5}$ cm
$1\frac{3}{8}$ cm

식 $2\frac{2}{5} \times 1\frac{3}{8} = 3\frac{3}{10}$
또는 $1\frac{3}{8} \times 2\frac{2}{5} = 3\frac{3}{10}$

답 $3\frac{3}{10}$ cm²

넓이가 $1\frac{5}{6}$ m²인 정사각형을 4등분했습니다. 색칠된 부분의 넓이는 몇 m²일까요?

식 $1\frac{5}{6} \times \frac{3}{4} = 1\frac{3}{8}$

답 $1\frac{3}{8}$ m²

물음에 답하세요. (가분수는 대분수로 나타내고, 약분할 수 있으면 기약분수로 나타냅니다.)

승주가 가진 전체 색종이의 $\frac{1}{4}$은 빨간색 색종이이고, 그중 $\frac{2}{3}$를 사용하여 장미를 접었습니다. 장미를 접는 데 사용한 색종이는 전체의 얼마일까요?

식 $\frac{1}{4} \times \frac{2}{3} = \frac{1}{6}$

답 $\frac{1}{6}$

미술 시간에 끈 $1\frac{3}{10}$ m 중 $\frac{5}{8}$를 사용했습니다. 사용한 끈의 길이는 몇 m일까요?

식 $1\frac{3}{10} \times \frac{5}{8} = \frac{13}{16}$

답 $\frac{13}{16}$ m

5학년 학생 수는 전체 학생 수의 $\frac{1}{5}$입니다. 5학년 학생 수의 $\frac{1}{2}$은 남학생이고, 그중 $\frac{2}{7}$은 안경을 썼습니다. 안경을 쓴 5학년 남학생은 전체 학생의 얼마일까요?

식 $\frac{1}{5} \times \frac{1}{2} \times \frac{2}{7} = \frac{1}{35}$

답 $\frac{1}{35}$

재희는 오늘 90쪽짜리 동화책의 $\frac{1}{3}$을 읽었습니다. 그중 $\frac{2}{5}$를 저녁에 읽었습니다. 재희가 오늘 저녁에 읽은 책은 몇 쪽일까요?

식 $90 \times \frac{1}{3} \times \frac{2}{5} = 12$

답 12 쪽

정답 **9**

40·41쪽

65 이야기하기 (2)

월 일

■ 물음에 답하세요. (가분수는 대분수로 나타내고, 약분할 수 있으면 기약분수로 나타냅니다.)

신우는 어제 동화책 한 권의 $\frac{1}{5}$을 읽었고, 오늘은 어제 읽고 난 나머지의 $\frac{1}{3}$을 읽었습니다. 물음에 답하세요.

나머지 $\frac{4}{5}$의 $\frac{1}{3}$을 오늘 읽었습니다. $\frac{4}{5} \times \frac{1}{3} = \frac{4}{15}$

신우가 오늘 읽은 양은 동화책 전체의 얼마인가요? ($\frac{4}{15}$)
어제 읽고 난 나머지는 전체의 $\frac{4}{5}$입니다.

책 한 권이 60쪽이라면 오늘 읽은 양은 몇 쪽인가요? (16쪽)

$60 \times \frac{4}{15} = 16$(쪽)

은재네 집에 있는 전체 사탕의 $\frac{3}{8}$은 딸기 맛이고, 딸기 맛을 제외한 나머지의 $\frac{2}{5}$는 포도 맛입니다. 물음에 답하세요.

나머지 $\frac{5}{8}$의 $\frac{2}{5}$가 포도 맛입니다. $\frac{5}{8} \times \frac{2}{5} = \frac{1}{4}$

포도 맛 사탕은 전체 사탕의 얼마인가요? ($\frac{1}{4}$)

사탕이 모두 100개라면 포도 맛 사탕은 몇 개인가요? (25개)

$100 \times \frac{1}{4} = 25$(개)

■ 물음에 답하세요. (가분수는 대분수로 나타내고, 약분할 수 있으면 기약분수로 나타냅니다.)

재연이는 하루 24시간 중 $\frac{1}{3}$은 잠을 잡니다. 잠을 자는 시간을 뺀 나머지의 $\frac{1}{8}$은 운동을 합니다. 재연이는 하루에 운동을 몇 시간 할까요?

잠을 자는 시간을 뺀 나머지는 전체의 $\frac{2}{3}$입니다. (2시간)

$24 \times \frac{2}{3} \times \frac{1}{8} = 2$(시간)

준성이네 반 학생 25명 중 $\frac{3}{5}$은 축구를 좋아하고, 나머지 학생의 $\frac{3}{5}$은 야구를 좋아합니다. 야구를 좋아하는 학생은 몇 명일까요?

축구를 좋아하는 학생을 뺀 나머지는 전체의 $\frac{2}{5}$입니다. (6명)

$25 \times \frac{2}{5} \times \frac{3}{5} = 6$(명)

진호는 색종이 60장 중에서 미술 시간에 $\frac{3}{10}$을 사용했고, 남은 색종이의 $\frac{2}{3}$로 선물을 포장했습니다. 선물을 포장하는 데 사용한 색종이는 몇 장일까요?

미술 시간에 사용하고 남은 색종이는 전체의 $\frac{7}{10}$입니다. (28장)

$60 \times \frac{7}{10} \times \frac{2}{3} = 28$(장)

우유 $\frac{9}{10}$L가 있습니다. 효민이는 어제 전체 우유의 $\frac{1}{3}$을 마시고, 오늘은 어제 마시고 남은 양의 $\frac{5}{6}$를 마셨습니다. 오늘 마신 우유는 몇 L일까요?

어제 마시고 남은 우유는 전체의 $\frac{2}{3}$입니다. ($\frac{1}{2}$L)

$\frac{9}{10} \times \frac{2}{3} \times \frac{5}{6} = \frac{1}{2}$(L)

40 교과연산 E3

3주차 분수의 곱셈 41

42쪽

■ 진분수의 곱셈식입니다. 수 카드 중 2장을 빈칸에 써넣어 계산 결과가 가장 작은 식을 만들고 계산해 보세요. (계산 결과는 기약분수로 나타냅니다.)

[1] [2] [3] [4]

또는 2

$\frac{1}{5} \times \frac{2}{7} = \frac{2}{35}$

작은 두 수를 곱하면 계산 결과가 작아집니다.

[6] [7] [8] [9]

$\frac{1}{8} \times \frac{1}{9} = \frac{1}{72}$

또는 9   8

[2] [5] [7] [9]

$\frac{1}{3} \times \frac{2}{9} = \frac{2}{27}$

[1] [3] [5] [7]

$\frac{1}{7} \times \frac{5}{8} = \frac{5}{56}$

[1] [2] [8] [9]

$\frac{4}{9} \times \frac{1}{4} = \frac{1}{9}$

[4] [5] [6] [7]

$\frac{4}{9} \times \frac{2}{7} = \frac{8}{63}$

42 교과연산 E3

10 교과연산 E3

66 (소수)×(자연수)

월 일

■ 여러 가지 방법으로 소수와 자연수의 곱셈을 해 보세요.

① 0.3 × 4 = 0.3 + 0.3 + 0.3 + 0.3 = $\boxed{1.2}$

① 덧셈식으로 계산하기
② 분수의 곱셈으로 계산하기
③ 0.1의 개수로 계산하기

② 0.3 × 4 = $\frac{\boxed{3}}{10}$ × 4 = $\frac{\boxed{12}}{10}$ = $\boxed{1.2}$

③ 0.3 × 4는 0.1이 3개씩 $\boxed{4}$ 묶음입니다.

　0.1이 모두 $\boxed{12}$ 개이므로 0.3 × 4 = $\boxed{1.2}$ 입니다.

① 1.5 × 5 = 1.5 + 1.5 + $\boxed{1.5}$ + $\boxed{1.5}$ + $\boxed{1.5}$ = $\boxed{7.5}$

② 1.5 × 5 = $\frac{\boxed{15}}{10}$ × 5 = $\frac{\boxed{75}}{10}$ = $\boxed{7.5}$

③ 1.5 × 5는 0.1이 $\boxed{15}$ 개씩 $\boxed{5}$ 묶음입니다.

　0.1이 모두 $\boxed{75}$ 개이므로 1.5 × 5 = $\boxed{7.5}$ 입니다.

■ 계산해 보세요. (계산 결과는 소수 또는 자연수로 나타냅니다.)

$0.8 × 4 = 3.2$　　　　$0.6 × 5 = 3$

소수점 아래 마지막에 0을
생략할 수 있으면 생략하여 나타냅니다.

$0.5 × 3 = 1.5$　　　　$0.6 × 13 = 7.8$

$0.25 × 7 = 1.75$　　　$0.33 × 12 = 3.96$
0.25는 0.01이 25개요. $\frac{25}{100}$입니다.

$1.4 × 3 = 4.2$　　　　$2.8 × 5 = 14$

$4.1 × 9 = 36.9$　　　$5.8 × 6 = 34.8$

$3.22 × 3 = 9.66$　　　$1.05 × 5 = 5.25$

$8.62 × 2 = 17.24$　　　$5.43 × 10 = 54.3$

67 (자연수)×(소수)

월 일

■ 여러 가지 방법으로 자연수와 소수의 곱셈을 해 보세요.

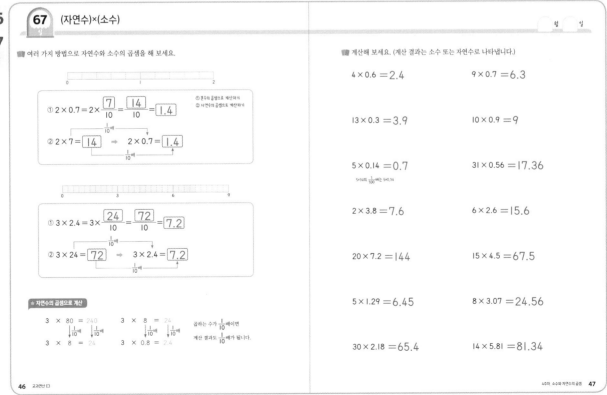

① 2 × 0.7 = 2 × $\frac{\boxed{7}}{10}$ = $\frac{\boxed{14}}{10}$ = $\boxed{1.4}$

① 분수의 곱셈으로 계산하기
② 자연수의 곱셈으로 계산하기

② 2 × 7 = $\boxed{14}$ ➡ 2 × 0.7 = $\boxed{1.4}$

① 3 × 2.4 = 3 × $\frac{\boxed{24}}{10}$ = $\frac{\boxed{72}}{10}$ = $\boxed{7.2}$

② 3 × 24 = $\boxed{72}$ ➡ 3 × 2.4 = $\boxed{7.2}$

★ 자연수의 곱셈으로 계산

3 × 80 = 240
3 × 8 = 24

3 × 8 = 24
3 × 0.8 = 2.4

곱하는 수가 $\frac{1}{10}$배이면
계산 결과도 $\frac{1}{10}$배가 됩니다.

■ 계산해 보세요. (계산 결과는 소수 또는 자연수로 나타냅니다.)

$4 × 0.6 = 2.4$　　　　$9 × 0.7 = 6.3$

$13 × 0.3 = 3.9$　　　$10 × 0.9 = 9$

$5 × 0.14 = 0.7$　　　$31 × 0.56 = 17.36$
5×14의 $\frac{1}{100}$배는 5×0.14

$2 × 3.8 = 7.6$　　　　$6 × 2.6 = 15.6$

$20 × 7.2 = 144$　　　$15 × 4.5 = 67.5$

$5 × 1.29 = 6.45$　　　$8 × 3.07 = 24.56$

$30 × 2.18 = 65.4$　　　$14 × 5.81 = 81.34$

정답

68 소수와 자연수의 곱

월 일

■ 빈칸에 알맞은 수를 써넣으세요.

4 × 8 = 32
4 × 0.8 = 3.2
4 × 0.08 = 0.32

30 × 6 = 180
30 × 0.6 = 18
30 × 0.06 = 1.8

5 × 12 = 60
5 × 1.2 = 6
5 × 0.12 = 0.6

7 × 3 = 21
0.7 × 3 = 2.1
0.07 × 3 = 0.21

16 × 23 = 368
1.6 × 23 = 36.8
0.16 × 23 = 3.68

15 × 40 = 600
1.5 × 40 = 60
0.15 × 40 = 6

■ 계산 결과를 찾아 이어 보세요.

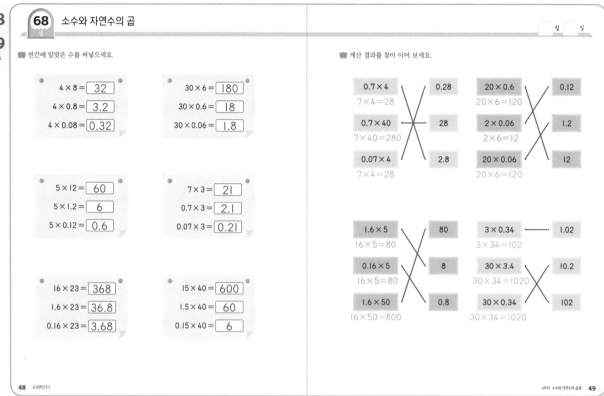

0.7 × 4   0.28
7 × 4 = 28

0.7 × 40   28
7 × 40 = 280

0.07 × 4   2.8
7 × 4 = 28

20 × 0.6   0.12
20 × 6 = 120

2 × 0.06   1.2
2 × 6 = 12

20 × 0.06   12
20 × 6 = 120

1.6 × 5   80
16 × 5 = 80

0.16 × 5   8
16 × 5 = 80

1.6 × 50   0.8
16 × 50 = 800

3 × 0.34   1.02
3 × 34 = 102

30 × 3.4   10.2
30 × 34 = 1020

30 × 0.34   102
30 × 34 = 1020

69 계산 결과 비교하기

월 일

■ 빈칸에 알맞은 수를 써넣고, 알맞은 말에 ○표 하여 계산 결과를 어림해 보세요.

3.9 × 3
4 × 3 = 12 이고, 3.9는 4보다 작으므로
3.9 × 3은 12보다 (큽니다 (작습니다)).

4 × 5.2
4 × 5 = 20 이고, 5.2는 5보다 크므로
4 × 5.2는 20보다 ((큽니다) 작습니다).

0.48 × 5
0.5 × 5 = 2.5 이고, 0.48은 0.5보다 작으므로
0.48 × 5는 2.5보다 (큽니다 (작습니다)).

8 × 0.73
8 × 0.7 = 5.6 이고, 0.73은 0.7보다 크므로
8 × 0.73은 (5 (6))에 더 가깝습니다.

5.96 × 30
5.96은 (5 (6))에 더 가깝고, 6 × 30 = 180 이므로
5.96 × 30은 (150, (180))에 더 가깝습니다.

■ 조건에 맞는 식에 모두 ○표 하세요.

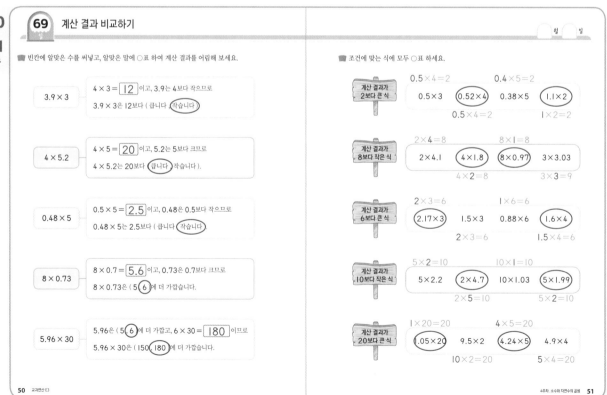

계산 결과가 2보다 큰 식
0.5 × 4 = 2   0.4 × 5 = 2
0.5 × 3   (0.52 × 4)   0.38 × 5   (1.1 × 2)
0.5 × 4 = 2   1 × 2 = 2

계산 결과가 8보다 작은 식
2 × 4 = 8   8 × 1 = 8
2 × 4.1   (4 × 1.8)   (8 × 0.97)   3 × 3.03
4 × 2 = 8   3 × 3 = 9

계산 결과가 6보다 큰 식
2 × 3 = 6   1 × 6 = 6
(2.17 × 3)   1.5 × 3   0.88 × 6   (1.6 × 4)
2 × 3 = 6   1.5 × 4 = 6

계산 결과가 10보다 작은 식
5 × 2 = 10   10 × 1 = 10
5 × 2.2   (2 × 4.7)   10 × 1.03   (5 × 1.99)
2 × 5 = 10   5 × 2 = 10

계산 결과가 20보다 큰 식
1 × 20 = 20   4 × 5 = 20
(1.05 × 20)   9.5 × 2   (4.24 × 5)   4.9 × 4
10 × 2 = 20   5 × 4 = 20

70 이야기하기

월 일

다음을 보고, 빈칸에 알맞은 말을 써넣으세요.

- 선우의 몸무게는 40kg입니다.
- 어머니의 몸무게는 선우 몸무게의 약 1.48배입니다.
- 아버지의 몸무게는 선우 몸무게의 약 2.03배입니다.
- 동생의 몸무게는 선우 몸무게의 약 0.81배입니다.

계산 결과를 어림 하여 가까운 값을 찾아봅니다.

아버지 의 몸무게는 약 80kg입니다. 2.03 · 40×2=80

동생 의 몸무게는 약 32kg입니다. 0.81 · 40×0.8=32

어머니 의 몸무게는 약 60kg입니다. 1.48 · 40×1.5=60

- 우리나라 돈 1000원은 스웨덴 돈 약 7.51크로나입니다.
- 우리나라 돈 1000원은 이스라엘 돈 약 2.93세켈입니다.
- 우리나라 돈 1000원은 싱가포르 돈 약 1.19달러입니다.

우리나라는 '원', 스웨덴은 '크로나', 이스라엘은 '세켈', 싱가포르는 '달러'를 돈의 단위로 사용합니다.

우리나라 돈 3000원은 약 3 달러 로 바꿀 수 있습니다.
1.19 · 1×3=3

우리나라 돈 4000원은 약 30 크로나 로 바꿀 수 있습니다.
7.51 · 7.5×4=30

우리나라 돈 5000원은 약 15 세켈 로 바꿀 수 있습니다.
2.93 · 3×5=15

52 교과연산 E3

소수의 곱셈식으로 나타내어 답을 구해 보세요.

0.5L의 물이 들어 있는 물병이 7개 있습니다. 물은 모두 몇 L일까요?

식 0.5×7=3.5   답 3.5 L

컵을 사용하지 않고 양치질을 하면 물 2L를 사용하고, 컵을 사용하면 0.65배만큼 물을 절약할 수 있습니다. 컵을 사용했을 때 절약하는 물의 양은 몇 L일까요?

식 2×0.65=1.3   답 1.3 L

민우의 키는 150cm입니다. 하은이의 키는 민우 키의 1.04배입니다. 하은이의 키는 몇 cm일까요?

식 150×1.04=156   답 156 cm

은재는 6일 동안 매일 1시간 30분씩 운동을 했습니다. 은재는 6일 동안 운동을 몇 시간 했을까요?

30분은 1시간의 반입니다.

식 6×1.5=9   답 9 시간

4주차 소수와 자연수의 곱셈 53

빈칸에 알맞은 수를 쓰고 알맞은 말에 ○표 하세요.

두루마리 휴지가 1m당 10.5원입니다. 두루마리 휴지 1개가 30m라면 300원으로 휴지 1개를 살 수 있을까요?

두루마리 휴지 30m
1m당 10.5원

30×10.5는 30× 10 인 300보다 크므로
300원으로 휴지를 살 수 (있습니다 , 없습니다).

승아는 1200원을 가지고 있습니다. 양파 맛 과자가 1g당 19.6원이라면 승아가 가진 돈으로 양파 맛 과자 60g을 살 수 있을까요?

양파 맛 과자 60g
1g당 19.6원

60×19.6은 60×20인 1200 보다 작으므로
1200원으로 과자를 살 수 (있습니다, 없습니다).

규호는 4000원을 가지고 있습니다. 새우 맛 과자가 1g당 8.5원이라면 규호가 가진 돈으로 새우 맛 과자 500g을 살 수 있을까요?

새우 맛 과자 500g
1g당 8.5원

500×8.5는 500× 8 인 4000보다 크므로
4000원으로 과자를 살 수 (있습니다, 없습니다).

54 교과연산 E3

정답 **13**

71 (소수)×(소수)

월 일

■ 여러 가지 방법으로 소수의 곱셈을 해 보세요.

① $0.7 \times 0.6 = \dfrac{7}{10} \times \dfrac{\boxed{6}}{10}$

$= \dfrac{\boxed{42}}{100} = \boxed{0.42}$

② $7 \times 6 = \boxed{42}$

$\downarrow \frac{1}{10}$배 $\quad \downarrow \frac{1}{10}$배 $\quad \downarrow \frac{1}{100}$배

$0.7 \times 0.6 = \boxed{0.42}$

① 분수의 곱셈으로 계산하기
② 자연수의 곱셈으로 계산하기

① $1.5 \times 0.48 = \dfrac{\boxed{15}}{10} \times \dfrac{48}{100}$

$= \dfrac{\boxed{720}}{1000} = \boxed{0.72}$

② $15 \times 48 = \boxed{720}$

$\downarrow \frac{1}{10}$배 $\quad \downarrow \frac{1}{100}$배 $\quad \downarrow \frac{1}{1000}$배

$1.5 \times 0.48 = \boxed{0.72}$

① $3.4 \times 6.2 = \dfrac{34}{10} \times \dfrac{\boxed{62}}{10}$

$= \dfrac{\boxed{2108}}{100} = \boxed{21.08}$

② $34 \times 62 = \boxed{2108}$

$\downarrow \frac{1}{10}$배 $\quad \downarrow \frac{1}{10}$배 $\quad \downarrow \frac{1}{100}$배

$3.4 \times 6.2 = \boxed{21.08}$

★ 자연수의 곱셈으로 계산

$13 \times 7 = 91$
$\downarrow \frac{1}{10}$배 $\downarrow \frac{1}{10}$배 $\downarrow \frac{1}{100}$배
$1.3 \times 0.7 = 0.91$

$13 \times 7 = 91$
$\downarrow \frac{1}{10}$배 $\downarrow \frac{1}{100}$배 $\downarrow \frac{1}{1000}$배
$1.3 \times 0.07 = 0.091$

■ 계산해 보세요. (계산 결과는 소수로 나타냅니다.)

$0.8 \times 0.3 = 0.24$ $\qquad$ $0.5 \times 0.37 = 0.185$

$2.3 \times 3.6 = 8.28$ $\qquad$ $1.26 \times 0.4 = 0.504$

$8.1 \times 5.5 = 44.55$ $\qquad$ $4.5 \times 1.38 = 6.21$

$\begin{array}{r} 0.4 \\ \times\, 0.7 \\ \hline 0.28 \end{array}$ $\qquad$ $\begin{array}{r} 0.08 \\ \times\ \ 0.9 \\ \hline 0.072 \end{array}$ $\qquad$ $\begin{array}{r} 0.25 \\ \times\, 0.12 \\ \hline 0.03 \end{array}$

$\begin{array}{r} 5.2 \\ \times\, 6.1 \\ \hline 31.72 \end{array}$ $\qquad$ $\begin{array}{r} 7.42 \\ \times\ \ 0.6 \\ \hline 4.452 \end{array}$ $\qquad$ $\begin{array}{r} 3.08 \\ \times\ \ 1.5 \\ \hline 4.62 \end{array}$

★ 세로로 곱셈하기

$\begin{array}{r} 1.38 \\ \times\ \ 0.5 \\ \hline 690 \end{array}$ 자연수처럼 생각하여 계산합니다. $\Rightarrow$ $\begin{array}{r} 1.38 \\ \times\ \ 0.5 \\ \hline 0.690 \end{array}$ 자연수 곱셈의 $\frac{1}{1000}$배 $(0.001$배)이므로 소수점을 왼쪽으로 세 자리 옮깁니다. $\begin{array}{r} 1.38 \\ \times\ \ 0.5 \\ \hline 0.69 \end{array}$

소수점 아래 마지막 0을 생략할 수 있으면 생략합니다.

---

72 소수점의 위치 (1)

월 일

■ 자연수의 계산 결과를 보고 소수의 곱셈을 해 보세요.

$4 \times 7 = 28$
$0.4 \times 0.7 = \boxed{0.28}$
$0.4 \times 0.07 = \boxed{0.028}$
$0.04 \times 0.07 = \boxed{0.0028}$

$25 \times 26 = 650$
$2.5 \times 2.6 = \boxed{6.5}$
$0.25 \times 2.6 = \boxed{0.65}$
$0.25 \times 0.26 = \boxed{0.065}$

$8 \times 12 = 96$
$8 \times 120 = \boxed{960}$
$0.8 \times 120 = \boxed{96}$
$80 \times 0.12 = \boxed{9.6}$

$23 \times 47 = 1081$
$230 \times 47 = \boxed{10810}$
$230 \times 0.47 = \boxed{108.1}$
$2300 \times 0.47 = \boxed{1081}$

★ 곱의 소수점의 위치

$\qquad$ $72 \times 0.3 = 21.6$ $\qquad$ $7.2 \times 3 = 21.6$

$72 \times 3 = 216$ $\quad$ $72 \times 0.03 = 2.16$ $\quad$ $0.72 \times 3 = 2.16$ $\quad$ $7.2 \times 0.3 = 2.16$

$\qquad$ $7.2 \times 0.03 = 0.216$ $\qquad$ $0.72 \times 0.3 = 0.216$

곱하는 두 수가 $\frac{1}{10}$배(0.1배), $\frac{1}{100}$배(0.01배)가 되면 결과도 각각 $\frac{1}{10}$배(0.1배), $\frac{1}{100}$배(0.01배)가 되므로 곱하는 두 수의 소수점 아래 자리 수가 하나씩 늘어날 때마다 결과의 소수점이 왼쪽으로 한 자리씩 옮겨집니다.

■ 계산 결과가 같은 것끼리 이어 보세요.

0.9×3	9×0.03	0.27
0.9×0.3	0.9×0.03	2.7
0.09×0.3	90×0.03	0.027

1.5×4	1.5×0.04	0.6
0.15×0.4	15×0.4	0.06
0.15×4	1.5×0.4	6

2.7×3.6	270×0.36	0.972
2.7×0.36	0.27×36	9.72
27×3.6	0.27×3.6	97.2

73일 소수점의 위치 (2)

월 일

■ 빈칸에 소수 또는 자연수를 알맞게 써넣으세요.

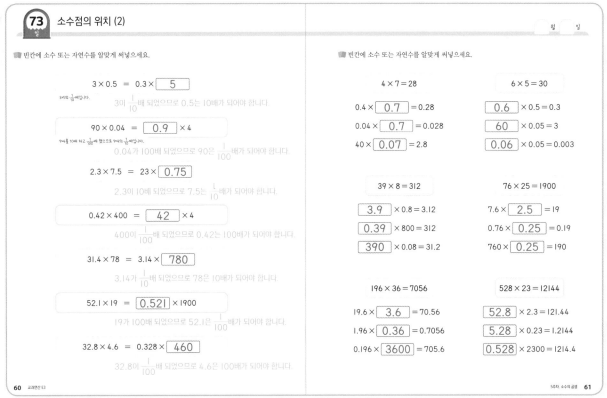

$3 \times 0.5 = 0.3 \times \boxed{5}$

3×5의 1/10 배입니다.

3이 1/10 배 되었으므로 0.5는 10배가 되어야 합니다.

$90 \times 0.04 = \boxed{0.9} \times 4$

9×4를 10배 하고 2를 1/100 배 했으므로 9×4의 1/10 배입니다.

0.04가 100배 되었으므로 90은 1/100 배가 되어야 합니다.

$2.3 \times 7.5 = 23 \times \boxed{0.75}$

2.3이 10배 되었으므로 7.5는 1/10 배가 되어야 합니다.

$0.42 \times 400 = \boxed{42} \times 4$

400이 1/100 배 되었으므로 0.42는 100배가 되어야 합니다.

$31.4 \times 78 = 3.14 \times \boxed{780}$

3.14가 1/10 배 되었으므로 78은 10배가 되어야 합니다.

$52.1 \times 19 = \boxed{0.521} \times 1900$

19가 100배 되었으므로 52.1은 1/100 배가 되어야 합니다.

$32.8 \times 4.6 = 0.328 \times \boxed{460}$

32.8이 1/100 배 되었으므로 4.6은 100배가 되어야 합니다.

■ 빈칸에 소수 또는 자연수를 알맞게 써넣으세요.

$4 \times 7 = 28$ | $6 \times 5 = 30$

$0.4 \times \boxed{0.7} = 0.28$ | $\boxed{0.6} \times 0.5 = 0.3$

$0.04 \times \boxed{0.7} = 0.028$ | $\boxed{60} \times 0.05 = 3$

$40 \times \boxed{0.07} = 2.8$ | $\boxed{0.06} \times 0.05 = 0.003$

$39 \times 8 = 312$ | $76 \times 25 = 1900$

$\boxed{3.9} \times 0.8 = 3.12$ | $7.6 \times \boxed{2.5} = 19$

$\boxed{0.39} \times 800 = 312$ | $0.76 \times \boxed{0.25} = 0.19$

$\boxed{390} \times 0.08 = 31.2$ | $760 \times \boxed{0.25} = 190$

$196 \times 36 = 7056$ | $528 \times 23 = 12144$

$19.6 \times \boxed{3.6} = 70.56$ | $\boxed{52.8} \times 2.3 = 121.44$

$1.96 \times \boxed{0.36} = 0.7056$ | $\boxed{5.28} \times 0.23 = 1.2144$

$0.196 \times \boxed{3600} = 705.6$ | $\boxed{0.528} \times 2300 = 1214.4$

74일 소수의 크기로 어림하기

월 일

■ 빈칸에 알맞은 수를 써넣고, 알맞은 말에 ○표 하세요.

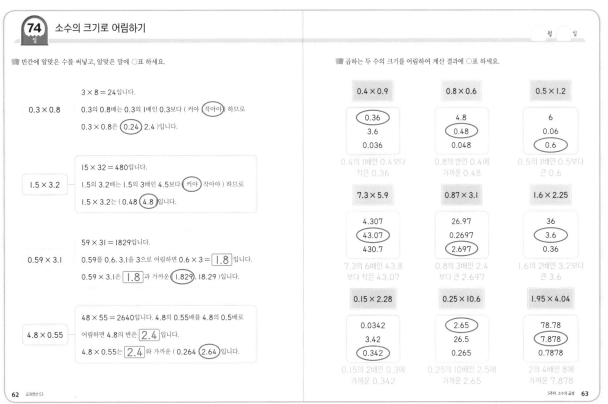

0.3×0.8

$3 \times 8 = 24$입니다.

0.3의 0.8배는 0.3의 1배인 0.3보다 (커야 (작아야)) 하므로

0.3 × 0.8은 ((0.24) 2.4)입니다.

1.5×3.2

$15 \times 32 = 480$입니다.

1.5의 3.2배는 1.5의 3배인 4.5보다 ((커야) 작아야) 하므로

1.5 × 3.2는 (0.48 (4.8))입니다.

0.59×3.1

$59 \times 31 = 1829$입니다.

0.59를 0.6, 3.1을 3으로 어림하면 0.6 × 3 = $\boxed{1.8}$입니다.

0.59 × 3.1은 $\boxed{1.8}$ 과 가까운 ((1.829) 18.29)입니다.

4.8×0.55

$48 \times 55 = 2640$입니다. 4.8의 0.55배를 4.8의 0.5배로

어림하면 4.8의 반은 $\boxed{2.4}$입니다.

4.8 × 0.55는 $\boxed{2.4}$ 와 가까운 (0.264 (2.64))입니다.

■ 곱하는 두 수의 크기를 어림하여 계산 결과에 ○표 하세요.

0.4×0.9	0.8×0.6	0.5×1.2
(0.36)	4.8	6
3.6	(0.48)	0.06
0.036	0.048	(0.6)
0.4의 1배인 0.4보다 작은 0.36	0.8의 반인 0.4에 가까운 0.48	0.5의 1배인 0.5보다 큰 0.6

7.3×5.9	0.87×3.1	1.6×2.25
4.307	26.97	36
(43.07)	0.2697	(3.6)
430.7	(2.697)	0.36
7.3의 6배인 43.8 보다 작은 43.07	0.8의 3배인 2.4 보다 큰 2.697	1.6의 2배인 3.2보다 큰 3.6

0.15×2.28	0.25×10.6	1.95×4.04
0.0342	(2.65)	78.78
3.42	26.5	(7.878)
(0.342)	0.265	0.7878
0.15의 2배인 0.3에 가까운 0.342	0.25의 10배인 2.5에 가까운 2.65	2의 4배인 8에 가까운 7.878

64·65쪽

75일 이야기하기

월 일

■ 물음에 답하세요.

시은이는 0.24×0.5의 값이 0.12인지 확인하기 위해 두 수를 계산기에 눌렀는데 수 하나의 소수점 위치를 잘못 눌러서 1.2가 나왔습니다. 시은이가 계산기에 누른 수를 써 보세요.

$$\boxed{2.4} \times 0.5$$

0.24×0.5=0.12인데 1.2가 나왔으므로
곱하는 두 수 중 한 수를 10배 하여 눌렀습니다.

준하는 3.7×0.08을 계산하려고 두 수를 계산기에 눌렀는데 수 하나의 소수점 위치를 잘못 눌러서 2.96이 나왔습니다. 준하가 계산기에 누른 두 수를 써 보세요.

또는 37 0.08
$$\boxed{3.7} \times \boxed{0.8}$$

3.7×0.08=0.296인데 2.96이 나왔으므로
곱하는 두 수 중 한 수를 10배 하여 눌렀습니다.

연수는 10.5×10.6을 계산하려고 두 수를 계산기에 눌렀는데 수 하나의 소수점 위치를 잘못 눌러서 11.13이 나왔습니다. 연수가 계산기에 누른 수를 써 보세요.

또는 10.5 1.06
$$\boxed{1.05} \times \boxed{10.6}$$

10.5×10.6=111.3인데 11.13이 나왔으므로
곱하는 두 수 중 한 수를 0.1배 하여 눌렀습니다.

64 교과연산 E3

■ 소수의 곱셈식으로 나타내어 답을 구해 보세요.

민호가 기르는 강낭콩이 일주일 전에 3.2cm였습니다. 지금은 일주일 전의 1.8배가 되었다면 지금 강낭콩의 길이는 몇 cm일까요?

식 3.2×1.8=5.76   답 5.76 cm

초코 우유 한 팩은 0.25L입니다. 그중 0.4만큼이 원유라면 초코 우유 한 팩에 원유는 몇 L 들어 있을까요?

식 0.25×0.4=0.1   답 0.1 L

윤아의 키는 1.4m이고, 은성이의 키는 윤아보다 0.1배만큼 더 큽니다. 은성이의 키는 몇 m일까요?

0.1배만큼 더 크므로
윤아 키의 1.1배입니다.

식 1.4×1.1=1.54   답 1.54 m

직사각형 모양의 화단의 세로가 6.5m입니다. 가로는 세로보다 0.5배만큼 더 길다면 화단의 가로는 몇 m일까요?

식 6.5×1.5=9.75   답 9.75 m

5주차. 소수의 곱셈 65

66쪽

■ 물음에 답하세요. (답은 소수로 나타냅니다.)

> 가로와 세로가 각각 7.5cm인 색종이가 있습니다. 색종이를 잘라 가로와 세로를 각각 처음 길이의 0.6배로 만들려고 합니다. 물음에 답하세요.

7.5cm
7.5cm

자른 색종이의 가로와 세로는 몇 cm인가요?

가로 (4.5cm)
세로 (4.5cm)

7.5×0.6=4.5(cm)

자른 색종이의 넓이는 몇 cm²인가요?

(20.25cm²)

4.5×4.5=20.25(cm²)

> 민성이는 가로가 8.2cm, 세로가 6.6cm인 직사각형을 그렸습니다. 연우는 민성이가 그린 직사각형의 가로와 세로를 각각 1.5배로 늘린 직사각형을 그렸습니다. 물음에 답하세요.

8.2cm
6.6cm

연우가 그린 직사각형의 가로와 세로는 몇 cm인가요?

가로 (12.3cm)
세로 (9.9cm)

8.2×1.5=12.3(cm), 6.6×1.5=9.9(cm)

연우가 그린 직사각형의 넓이는 몇 cm²인가요?

(121.77cm²)

12.3×9.9=121.77(cm²)

66 교과연산 E3